张迁碑隶书集字古诗

名帖集字丛书

◎何有川 编

广西美术出版社

图书在版编目（CIP）数据

张迁碑隶书集字古诗 / 何有川编著 . —南宁：广西美术出版社，2017.5（2020.10）重印
（名帖集字丛书）
ISBN 978-7-5494-1766-7

Ⅰ . ①张… Ⅱ . ①何… Ⅲ . ①隶书—碑帖—中国—汉代 Ⅳ . ① J292.22

中国版本图书馆 CIP 数据核字（2017）第 122606 号

名帖集字丛书
张迁碑隶书集字古诗

编　　著　何有川
策　　划　潘海清　黄丽伟
出 版 人　陈　明
责任编辑　潘海清
助理编辑　黄丽丽
审　　读　肖丽新
装帧设计　陈　欢
排版制作　李　冰
出版发行　广西美术出版社有限公司
地　　址　广西南宁市望园路 9 号
邮　　编　530023
电　　话　0771-5701356　5701355（传真）
印　　刷　广西恒邦彩色印刷有限公司
开　　本　787 mm × 1092 mm　1/12
印　　张　6 4/12
版　　次　2017 年 7 月第 1 版
印　　次　2020 年 10 月第 5 次印刷
书　　号　ISBN 978-7-5494-1766-7
定　　价　28.00 元

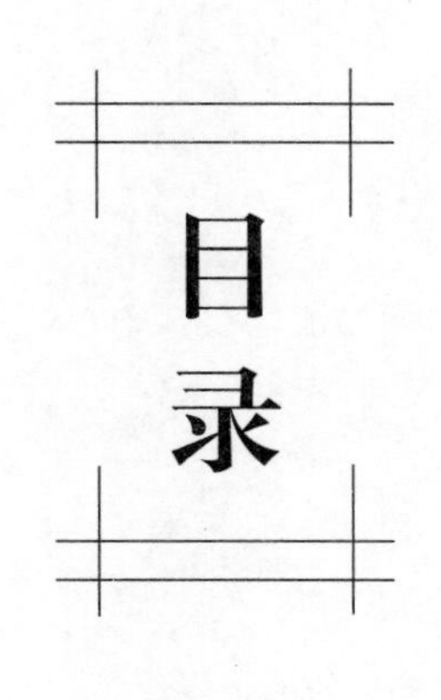
目录

集字创作

一、什么是集字

集字就是根据自己所要书写的内容，有目的地收集碑帖的范字，对原碑帖中无法集选的字，根据相关偏旁部首和相同风格进行组合创作，使之与整幅作品统一和谐，再根据已确定的章法创作出完整的书法作品。例如，朋友搬新家你从字帖里集出“乔迁之喜”四个字，然后按书法章法写给他表示祝贺。

临摹字帖的目的是为了创作，临摹是量的积累，创作是质的飞跃。从临帖到出帖创作需要比较长的学习和积累，而集字练习便是临帖到出帖之间的一座桥梁。

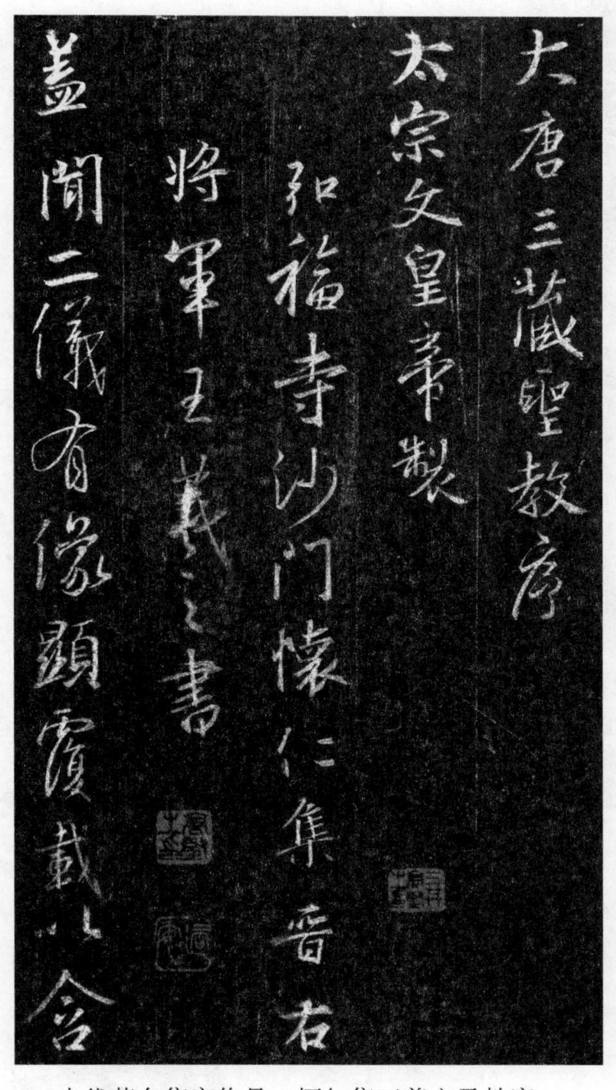

古代著名集字作品《怀仁集王羲之圣教序》

二、集字内容与对象

集字创作时先选定集字内容，可从原碑帖直接集现成的词句作为创作内容，或者另外选择内容，如集字对联、集字词句或集字文章。

集字对象可以集一个碑帖的字；集一个书家的字，包括他的所有碑帖；根据风格的相同或相近集几个人的字或集几个碑帖的字；再有就是根据结构规律或书体风格创作新的字，使作品统一。

三、集字方法

1. 所选内容在一个碑帖中都有，并且是连续的。

如集“聪丽权略”四个字，意思是善于观察与思考权变谋略。这几个字在《张迁碑》中都有，临摹出来，可根据纸张尺幅略为调整章法，落款成一幅完整的作品。

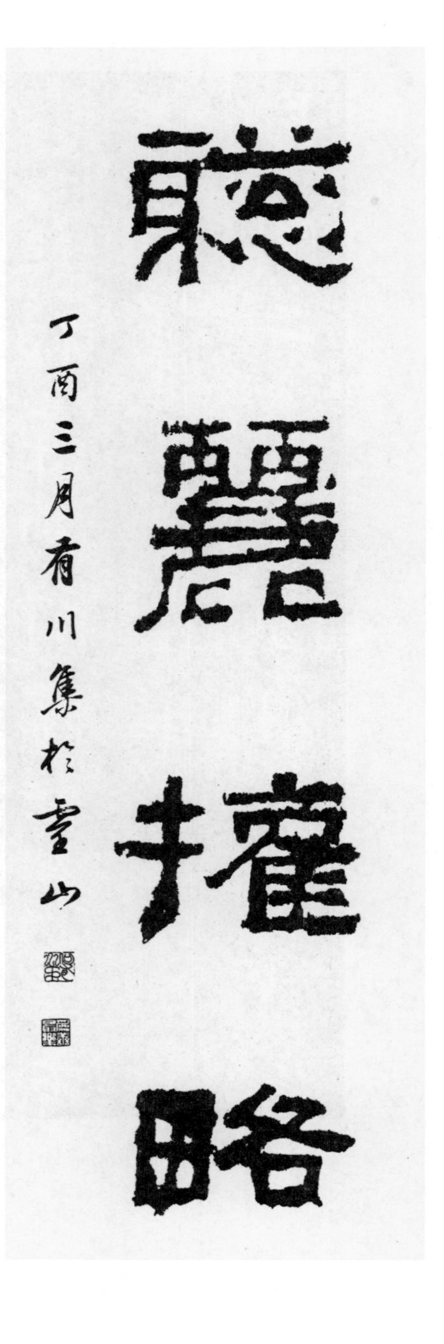

2. 在一个碑帖中集部首点画成字。

如集“天行健，君子以自强不息”，其中“健”和“息”在《张迁碑》里都没有，需要集出相关的偏旁部首的字，然后进行组合创作。

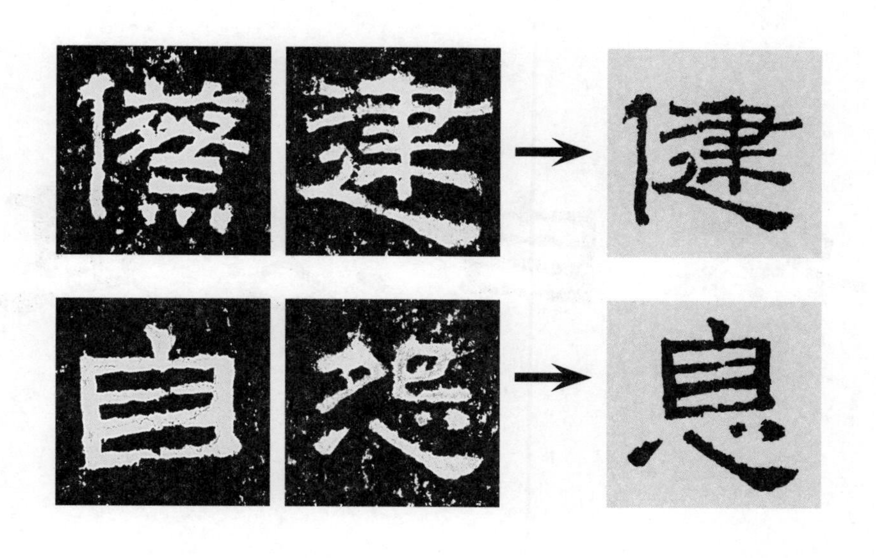

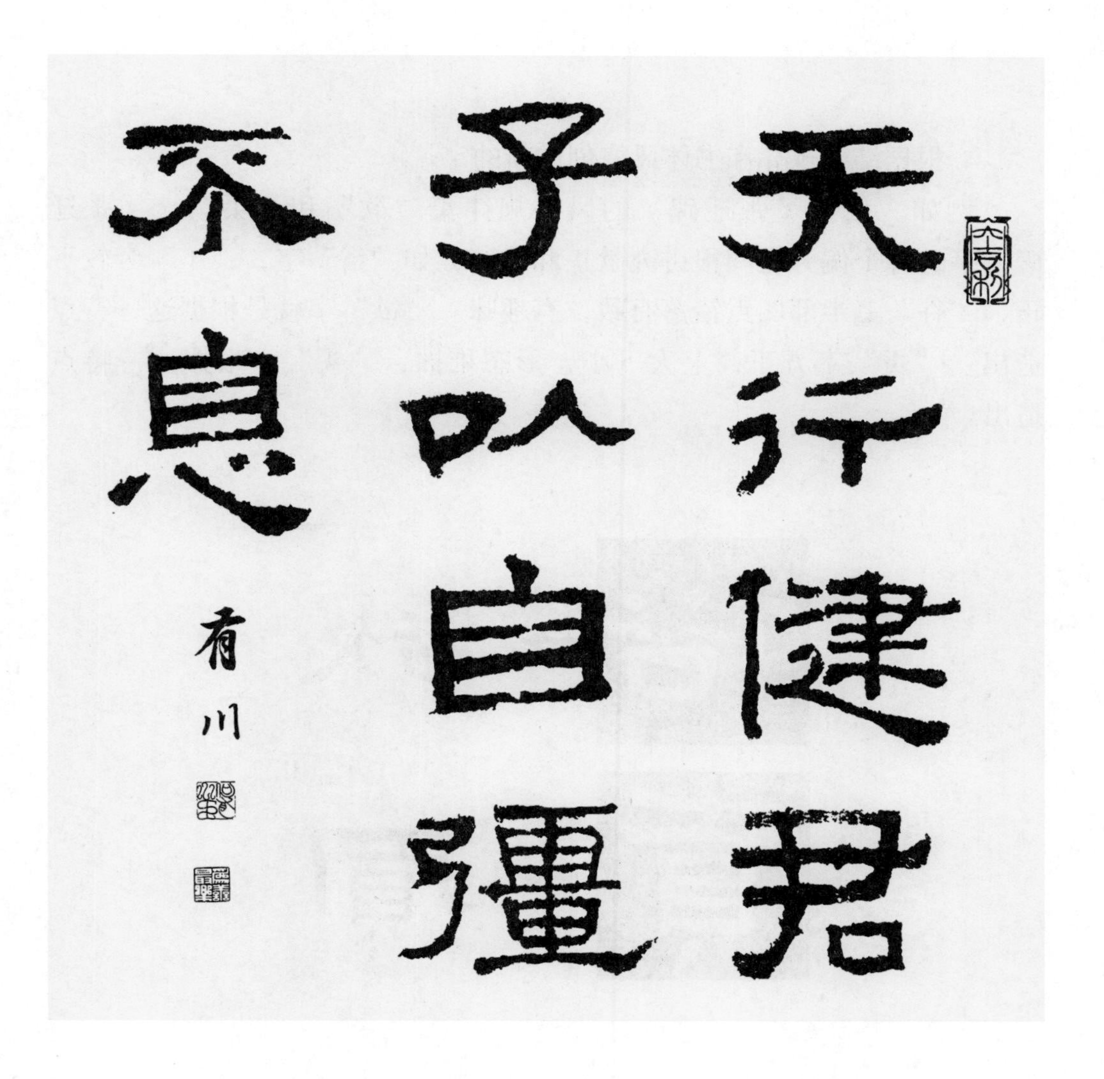

3. 在多个碑帖中集字成作品。

如集“道法自然”四字，“道、自、然”三字都是集《张迁碑》的字，第二字“法”在《张迁碑》中没有，于是就从风格略为相近的《衡方碑》里集。

4. 根据结构规律和书体风格创作新的字。

例如，根据《张迁碑》的风格规律集“欲”和“买”。《张迁碑》字的各个偏旁之间很讲究欹正和错落，如“俗”字，“亻”旁较平正，“谷”上半部四点错落有致，有趣味。“欲”字就是根据这一特点造出。“贡”字方正，上大下小，形态稚拙，“买”字根据这一特点造出。

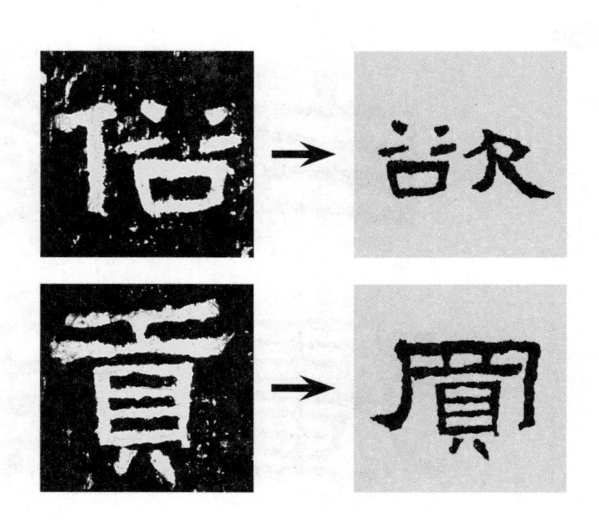

四、常用创作幅式（以《张迁碑》为例）

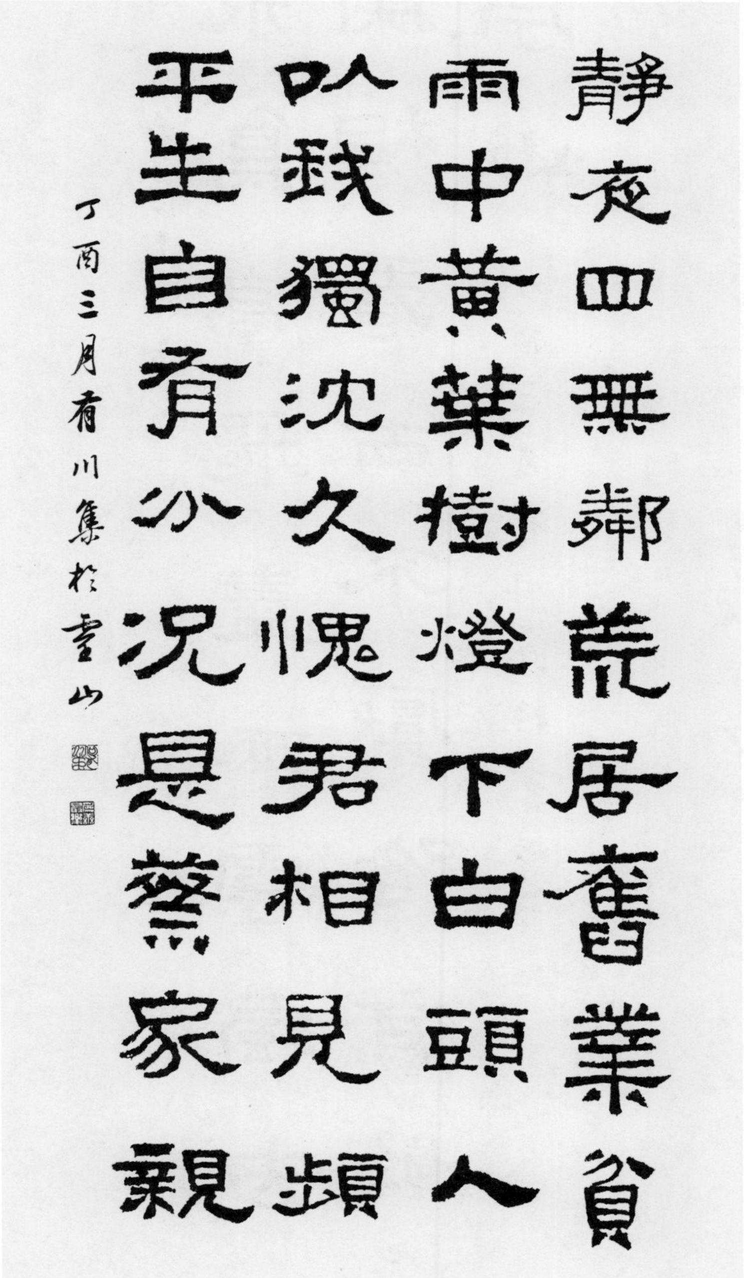

中堂

1. 中堂

特点：中堂的长宽比例大约是2∶1，一般把六尺及六尺以上整张宣纸叫大中堂，五尺及五尺以下整张宣纸叫小中堂，字数可多可少，有时只书写一两个大字。中堂通常挂在厅堂中间。

款印：中堂的落款可跟在内容后或另行起行，单款有长款、短款和穷款之分，正文是楷书、隶书，落款可用楷书或行书。钤印是书法作品中不可或缺的组成部分，单款一般只盖名号章和闲章，名号章钤在书写人下面，闲章一般钤在首行第一、二字之间。

条幅

2. 条幅

特点：条幅是长条形作品，如整张宣纸对开竖写，长宽比例一般在3：1左右，是最常见的形式，多单独悬挂。

款印：条幅和中堂款式相似，可落单款或双款，双款是将上款写在作品右边，内容多是作品名称、出处或受赠人等，下款写在作品结束后，内容是时间、姓名。钤印不宜太多，大小相匹配，整幅作品和谐统一。

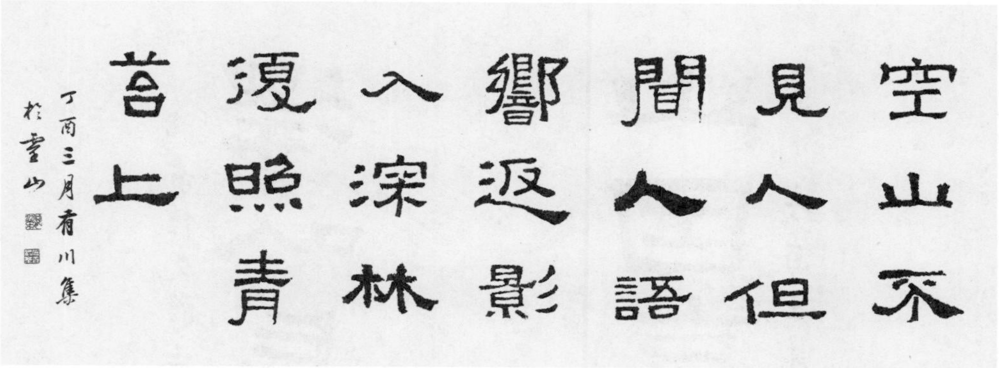

横幅

3. 横幅

特点：横幅是横式幅式的一种，除了横幅，还有手卷和扁额。横幅的长度不是太长，横写竖写均可，字少可写一列，字多可多列竖写。

款印：落款的位置要恰到好处，多行落款可增加作品的变化，还可以对正文加跋语，跋语写在内容前。印章在落款处盖姓名章，起首部盖闲章。

斗方

4. 斗方

特点：斗方是正方形的幅式。这种幅式的书写容易板滞，尤其是正书，字间行间容易平均，需要调整字的大小、粗细、长短，使作品章法灵动。

款印：落款一般最多是两行，印章加盖方式可参考以上介绍的幅式。

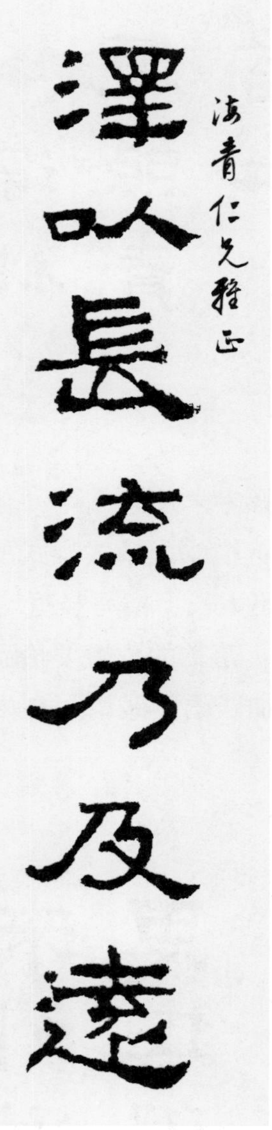

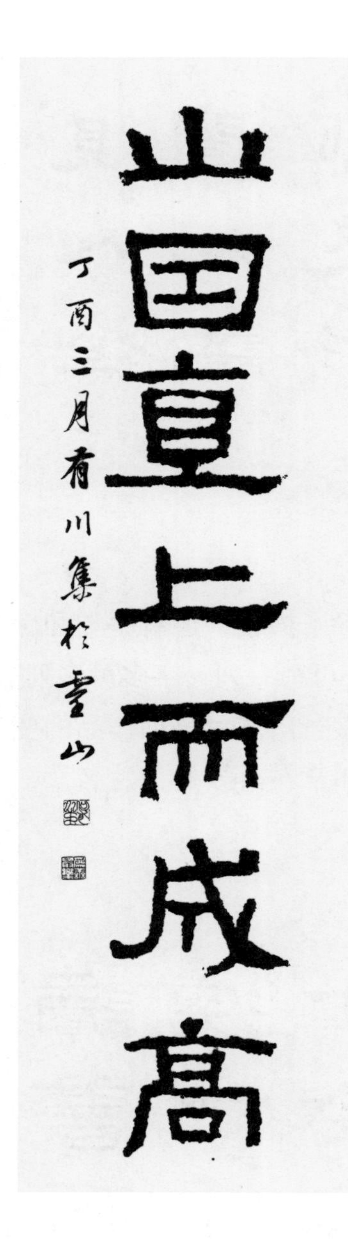

对联

5. 对联

特点：对联的“对”字指上下两条组成一对和上下联对仗，书法幅式通常可用一张宣纸写两行或两张大小相等的条幅书写。

款印：对联落款和其他竖式相似，只是上款落在上联最右边，以示尊重。写给长辈一般用先生、老师等，加上“指正”“正腕”等谦词；写给同辈一般称同志、仁兄等，加上“雅正”“雅嘱”等；写给晚辈，一般称贤弟、仁弟，加上“惠存”“留念”等；写给内行或行家，可称为“方家”“法家”，相应加上“斧正”“正腕”等。

团扇

6. 扇面

特点：扇面主要分为折扇和团扇两类，相对于竖式、横式、方形幅式而言，它属不规则形式，除了扇形，还有册页、尺牍等不规则幅式。

款印：落款的时间一般用公历纪年，也可用干支纪年。公历纪年有月、日的记法，有些特殊的日子，如“春节”“国庆节”“教师节”等，可用上以增添节日气氛。干支纪年有丁酉、丙申等，农历记日有朔日、望日等。

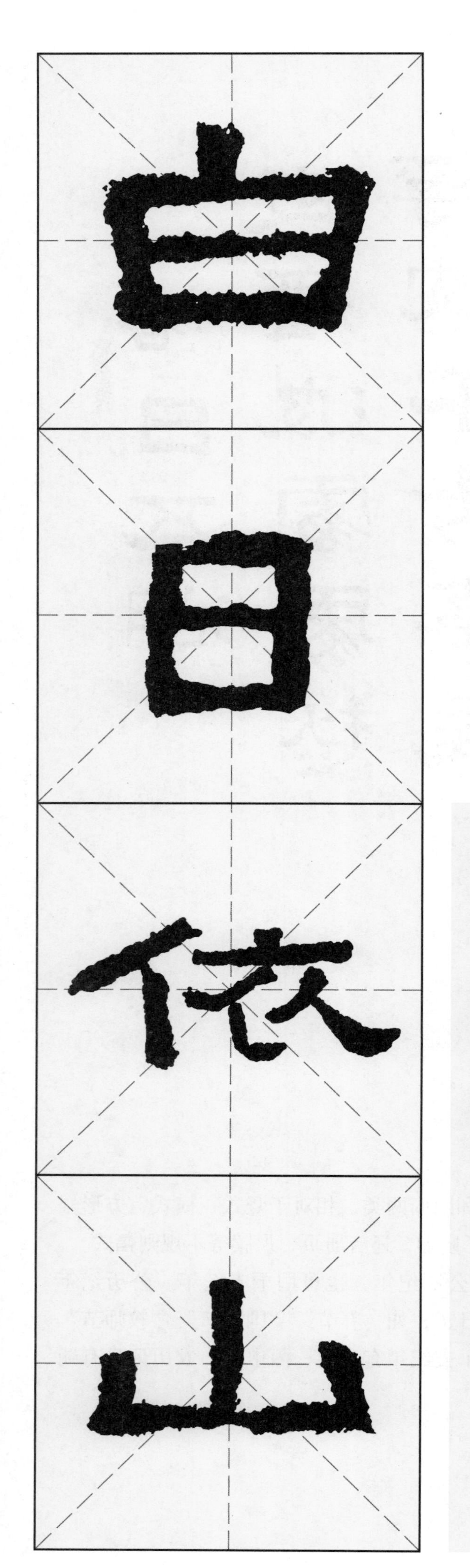

登鹳雀楼

（唐）王之涣

白日依山尽，黄河入海流。

欲穷千里目，更上一层楼。

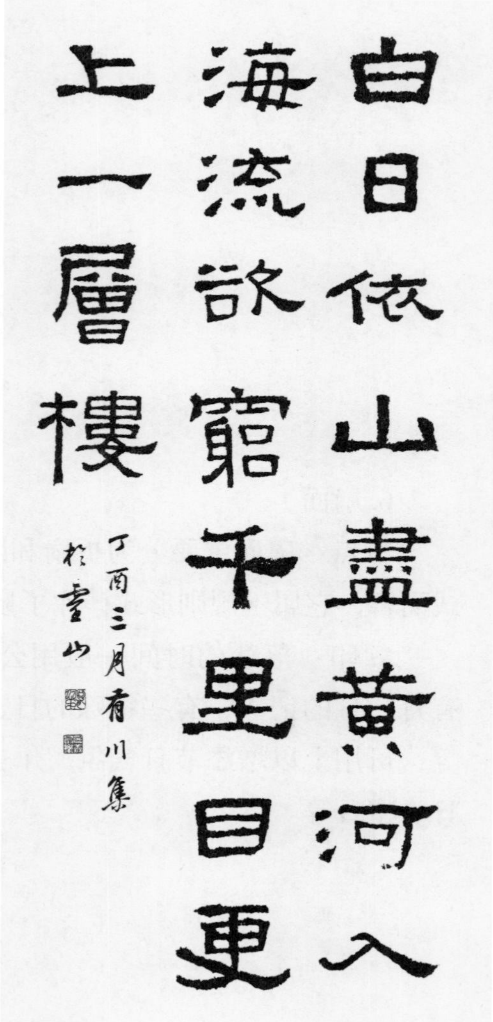

白日依山盡黃河入

海流欲窮千里目更

上一層樓

丁酉三月肴川集

於壹山

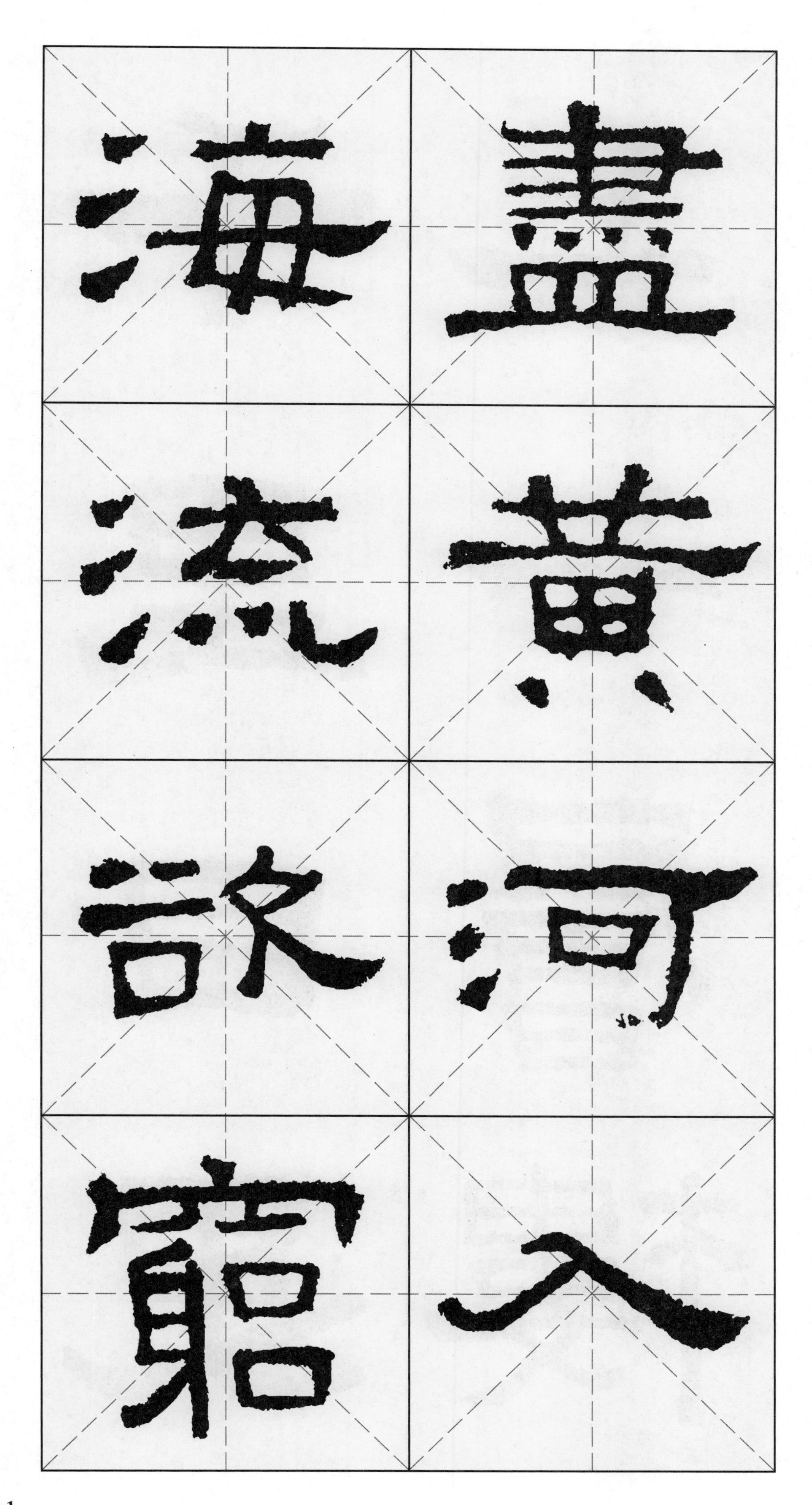
盡黃河入
海流欲窮

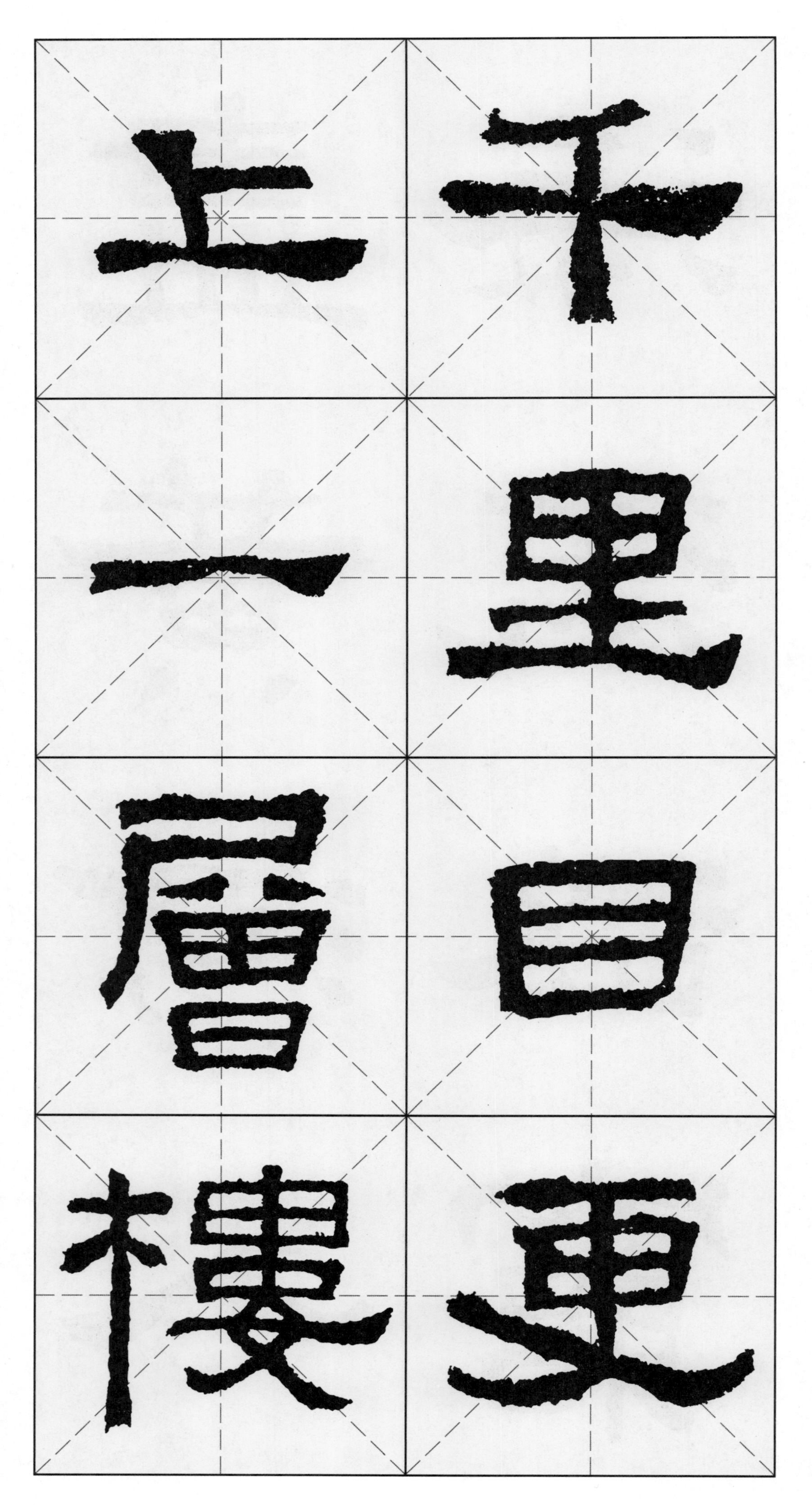
千里目
更上一層樓

山中
（唐）王维
荆溪白石出，天寒红叶稀。
山路元无雨，空翠湿人衣。

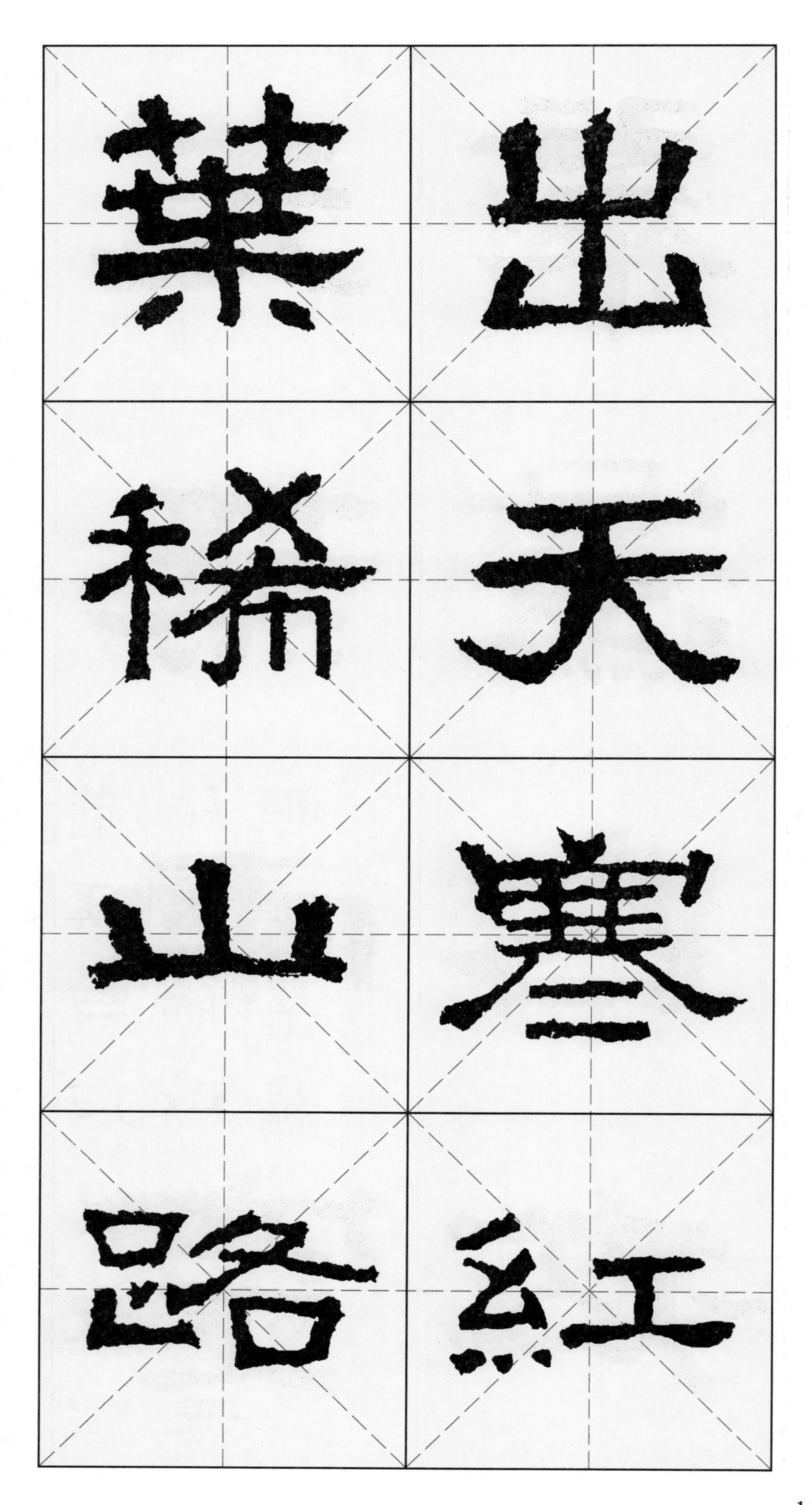
出天寒紅
葉稀山路

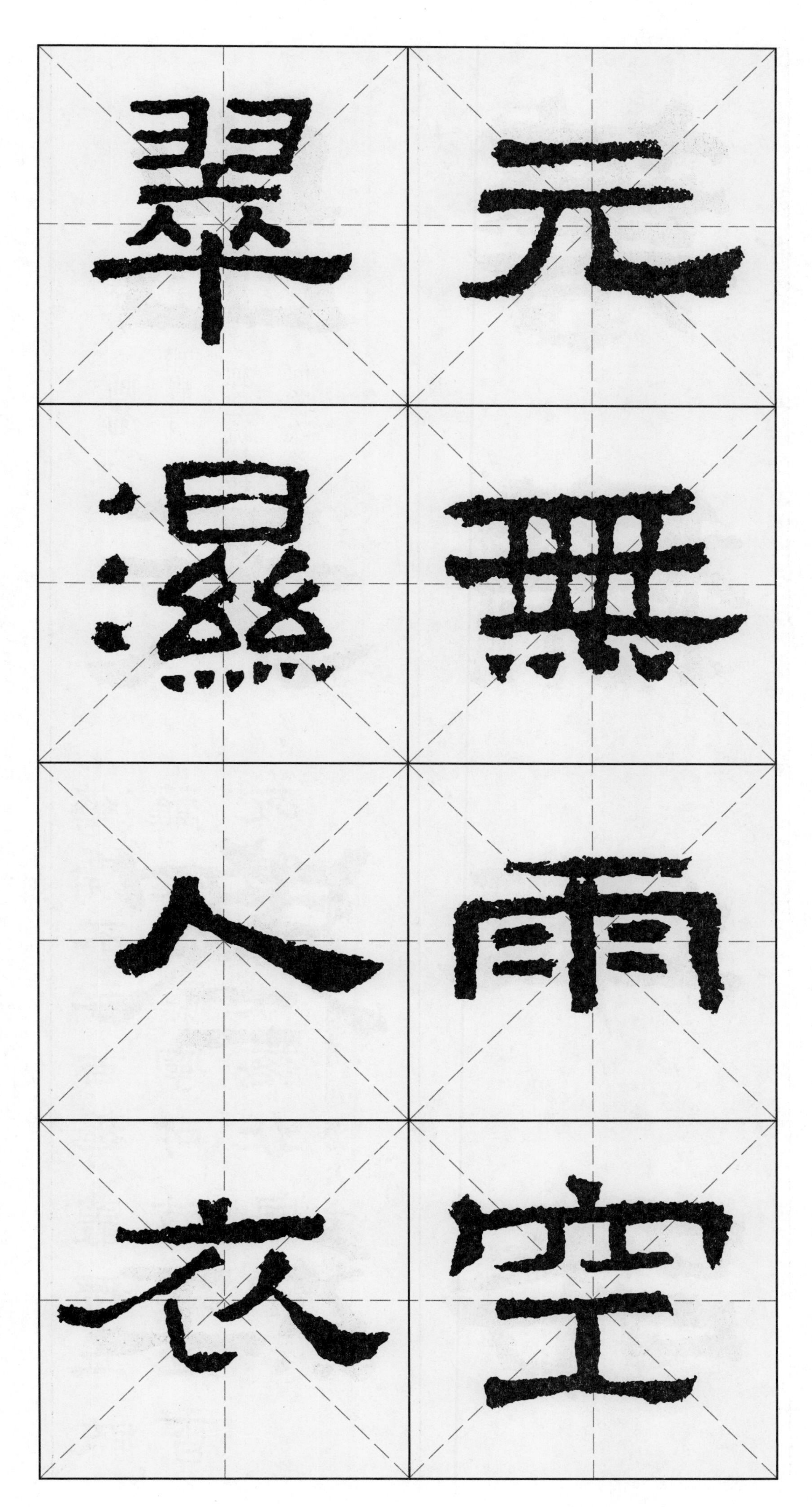
天翠
無濕
雨人
空衣

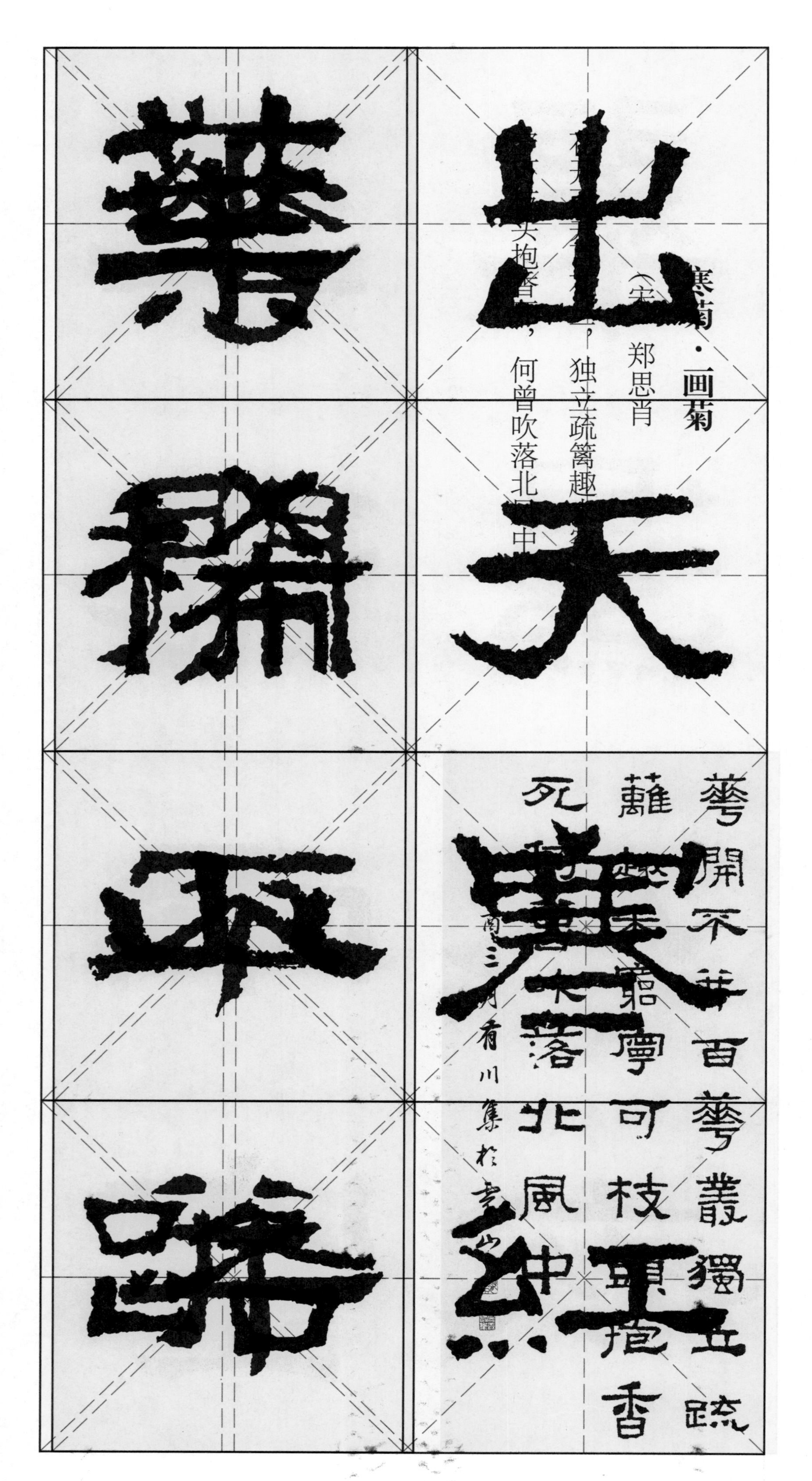
寒菊·画菊
（宋）郑思肖
独立疏篱趣
何曾吹落北风中

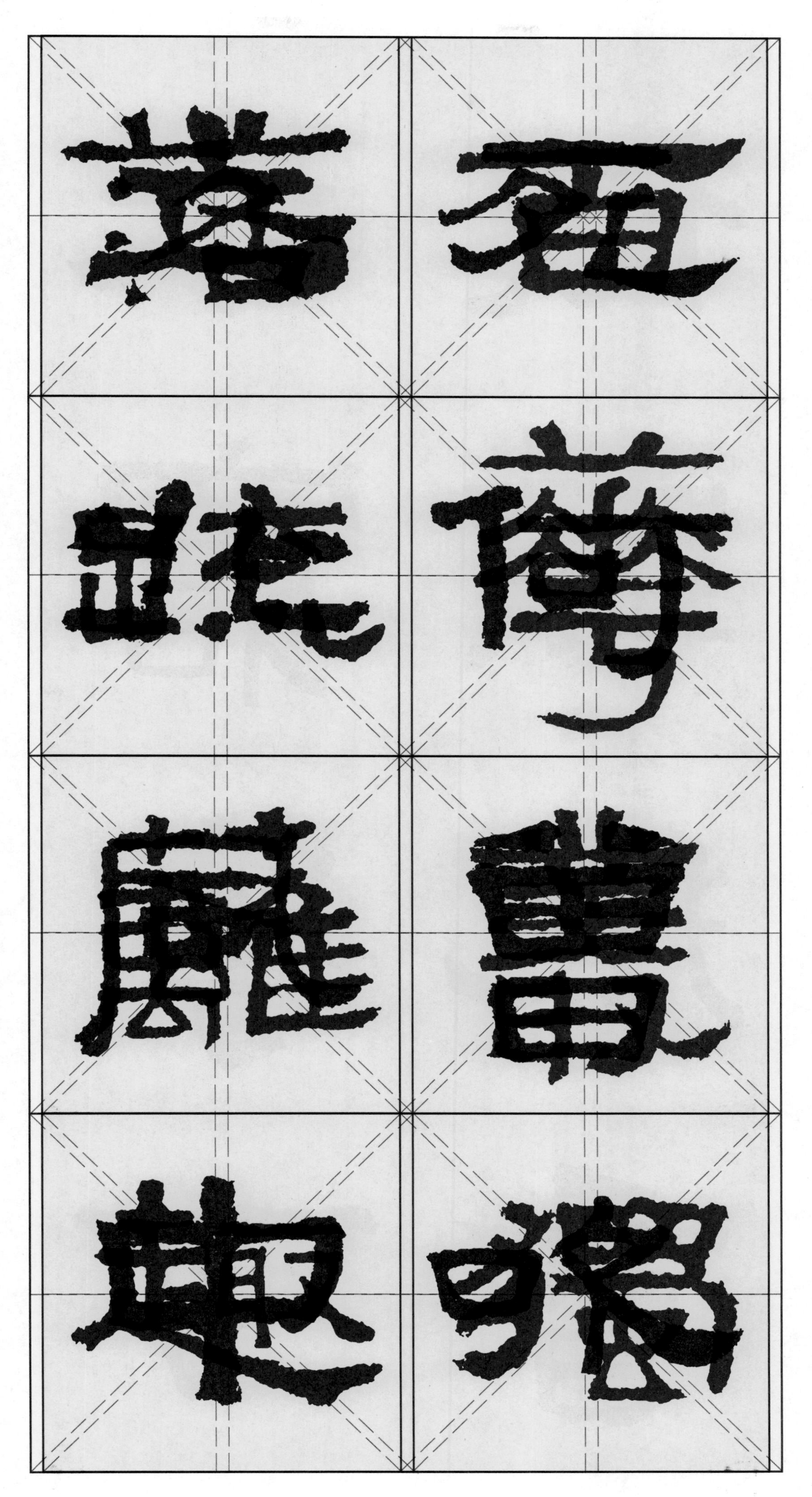

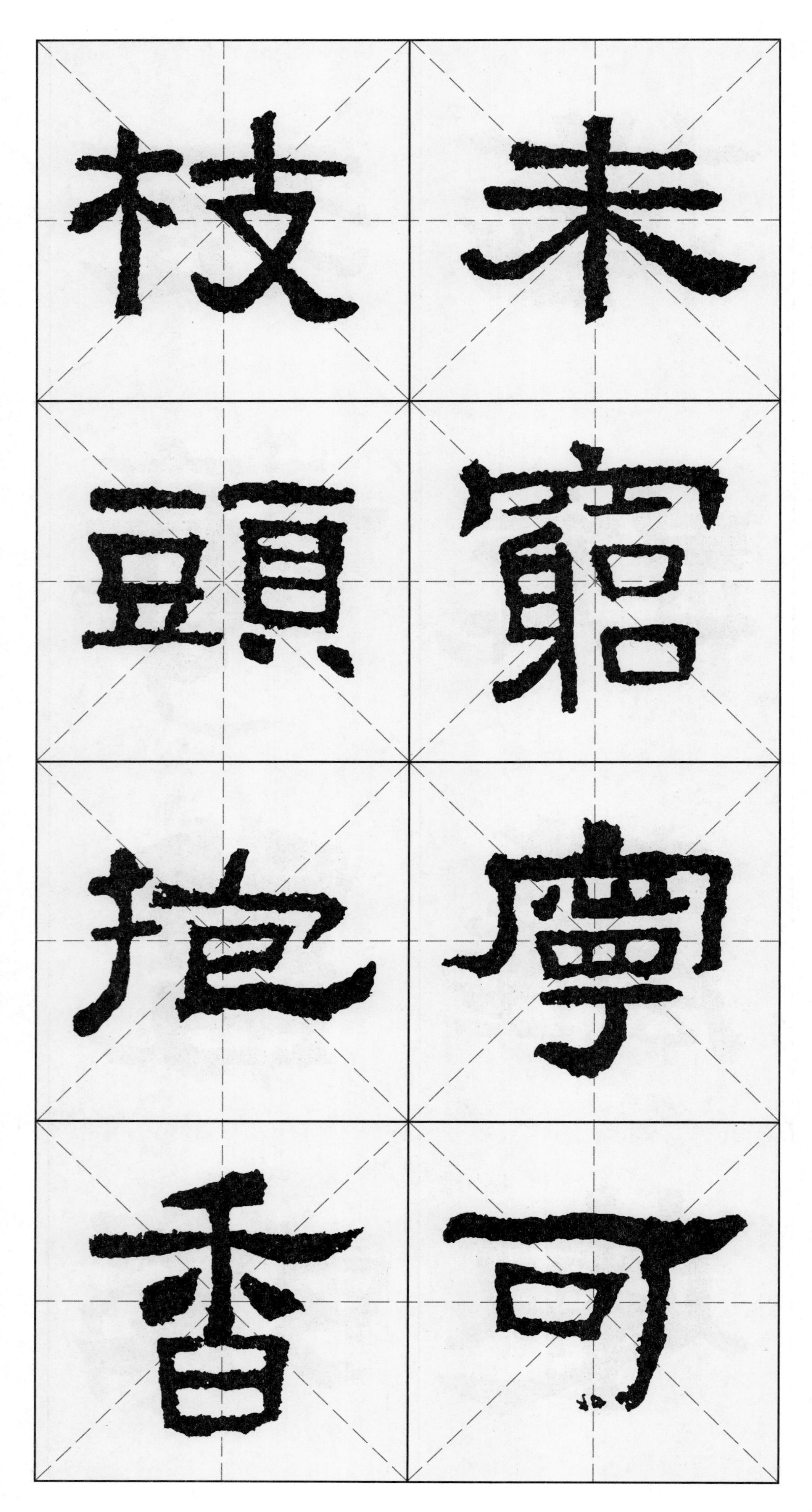
未
窮
寧
可
枝
頭
抱
香

死何曾吹
落北風中

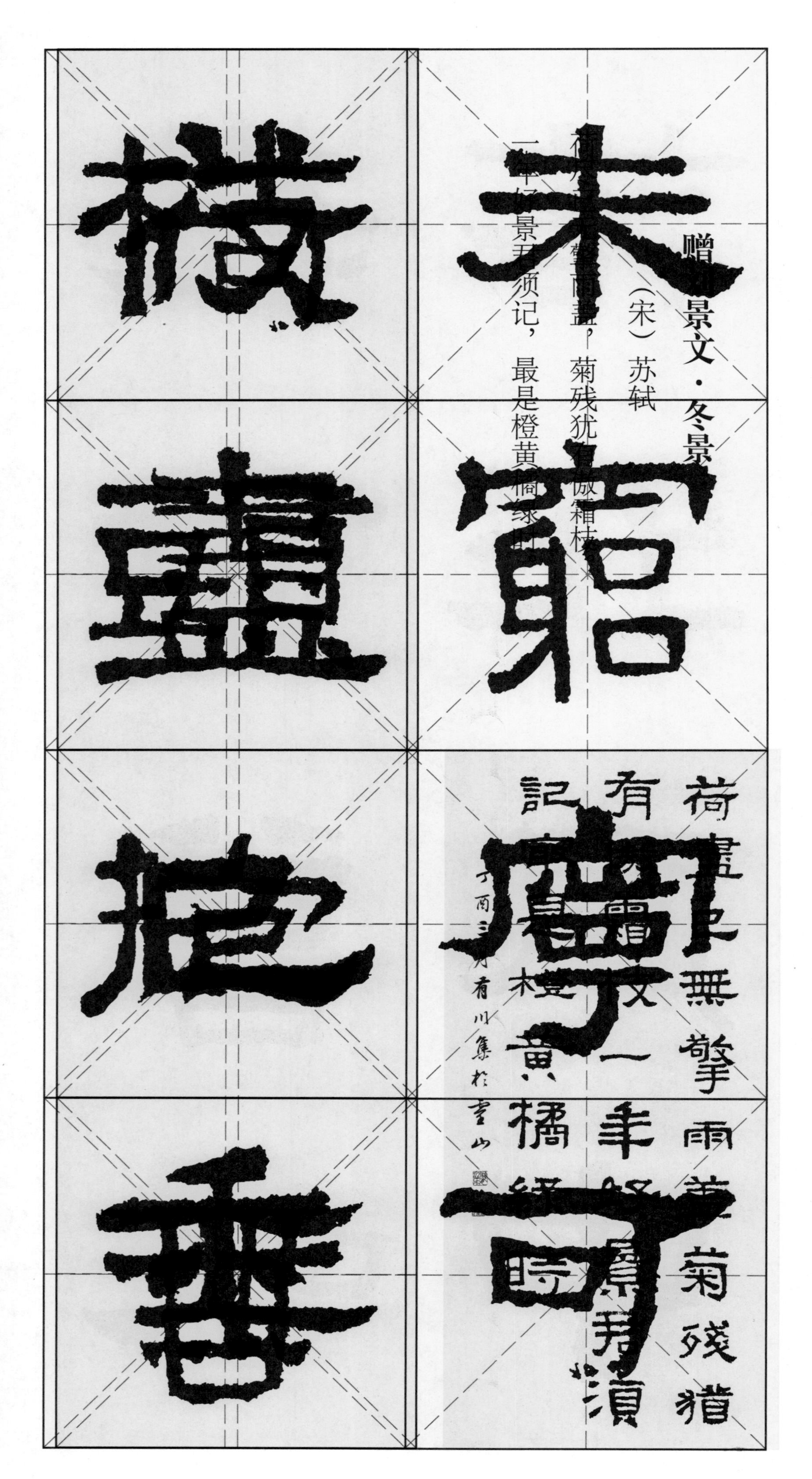
赠刘景文·冬景
（宋）苏轼
荷尽已无擎雨盖，菊残犹有傲霜枝。
一年好景君须记，最是橙黄橘绿时。
荷盡已無擎雨蓋菊殘猶
有傲霜枝一年好景君須
記最是橙黃橘綠時
丁酉三月有川集於雪山

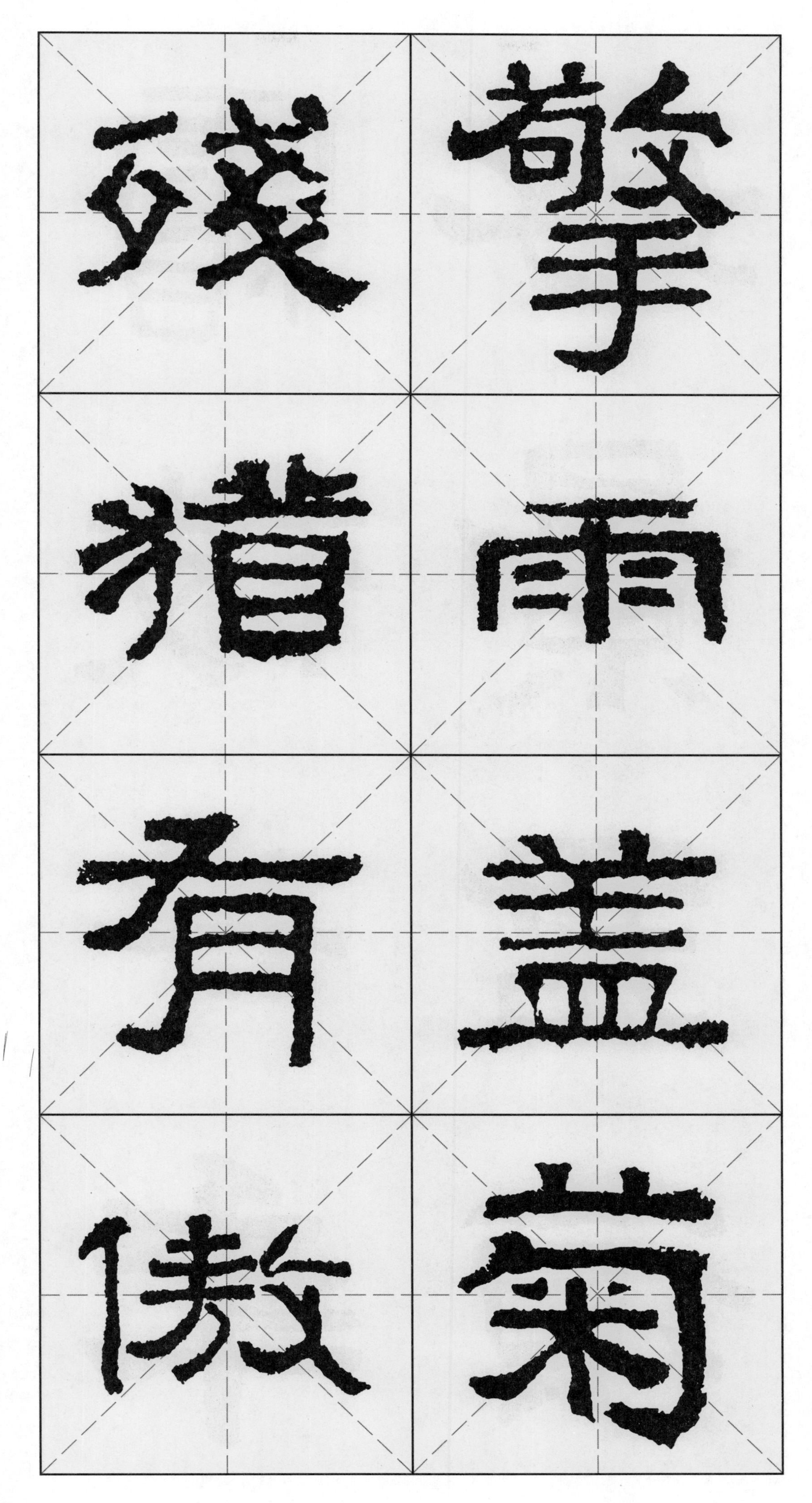

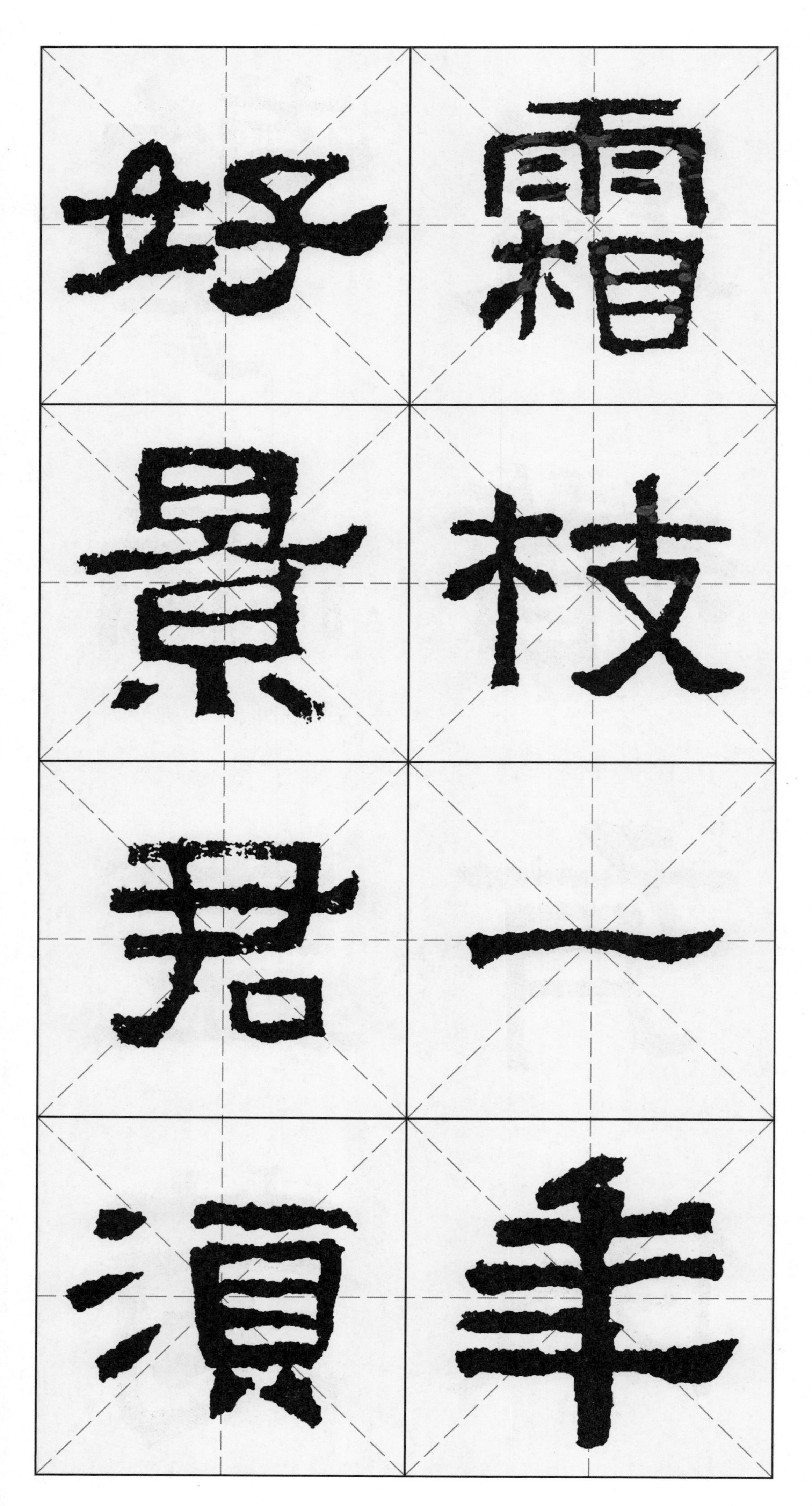
霜枝一年
好景君須

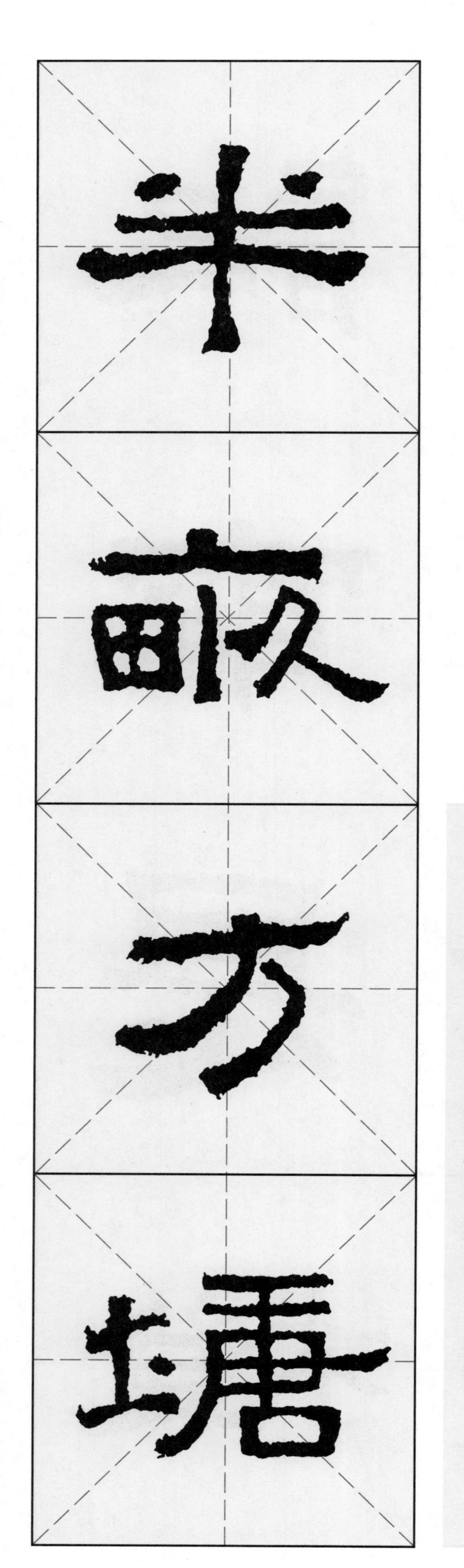

观书有感二首（其一）

（宋）朱熹

半亩方塘一鉴开，天光云影共徘徊。

问渠那得清如许？为有源头活水来。

半畝方塘一鑒開天光雲影共徘徊問渠那得清如許為有源頭活水来

丁酉三月看川集於雲山

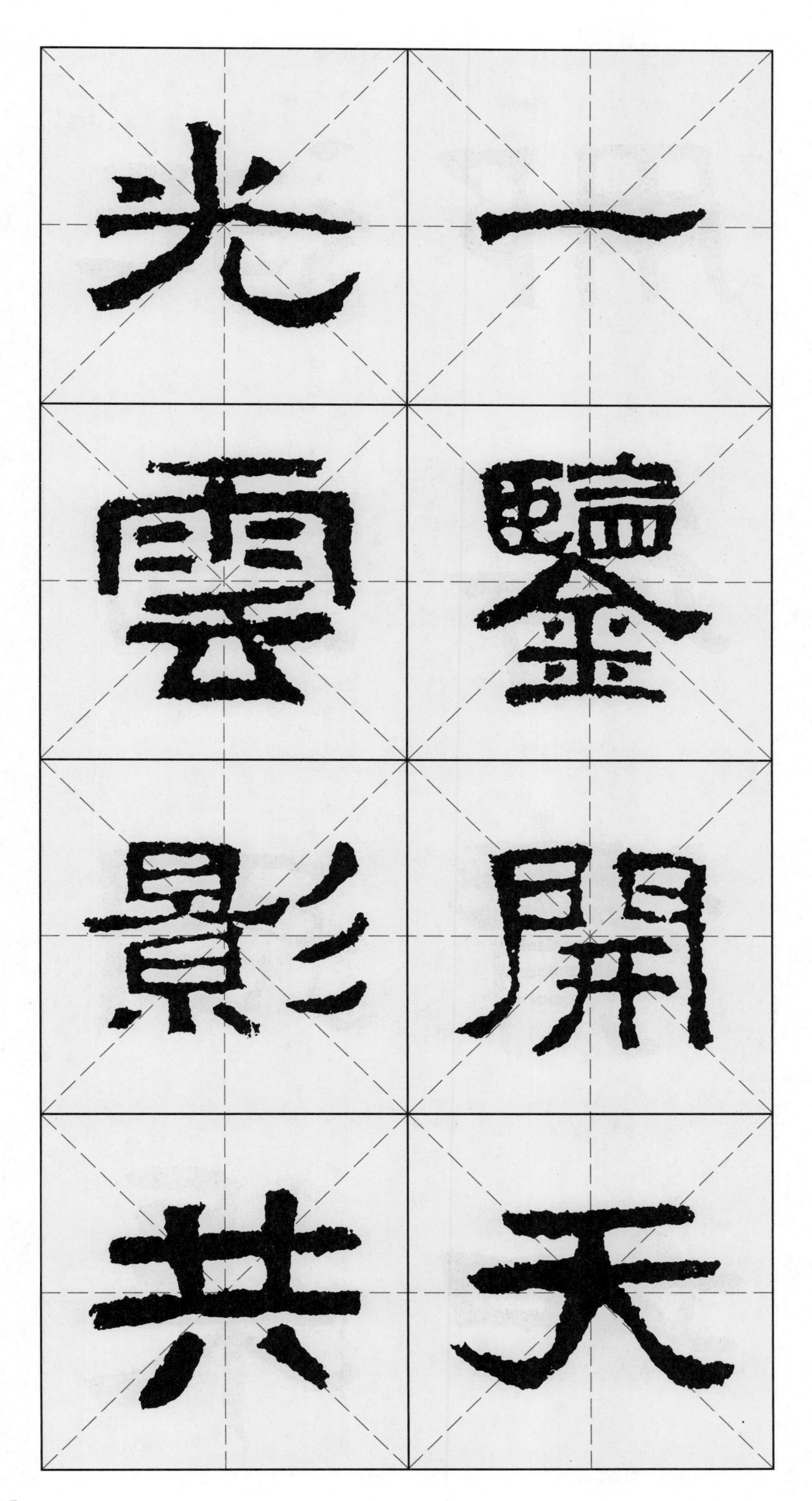
一鑒開天
光雲影共

許
頭
爲
活
有
水
源
來

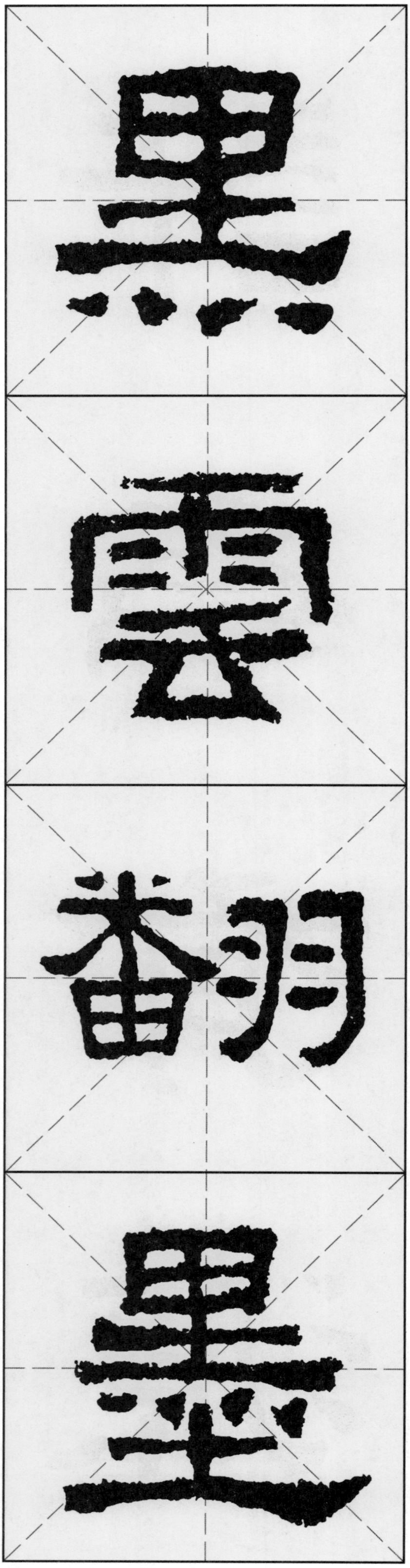

黑

雲

翻

墨

六月二十七日望湖楼醉书

（宋）苏轼

黑云翻墨未遮山，白雨跳珠乱入船。
卷地风来忽吹散，望湖楼下水如天。

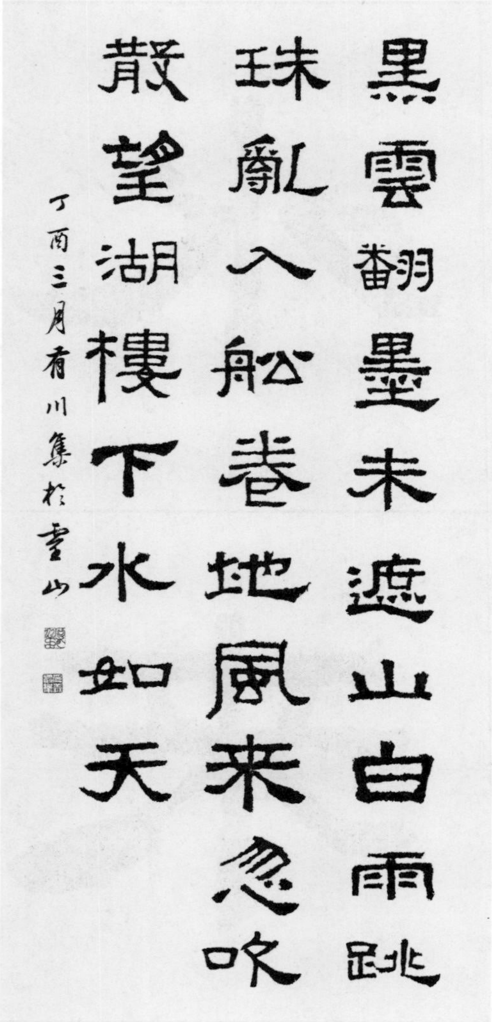

黑雲翻墨未遮山白雨跳珠亂入船卷地風来急吹散望湖樓下水如天

丁酉三月有川集於雪山

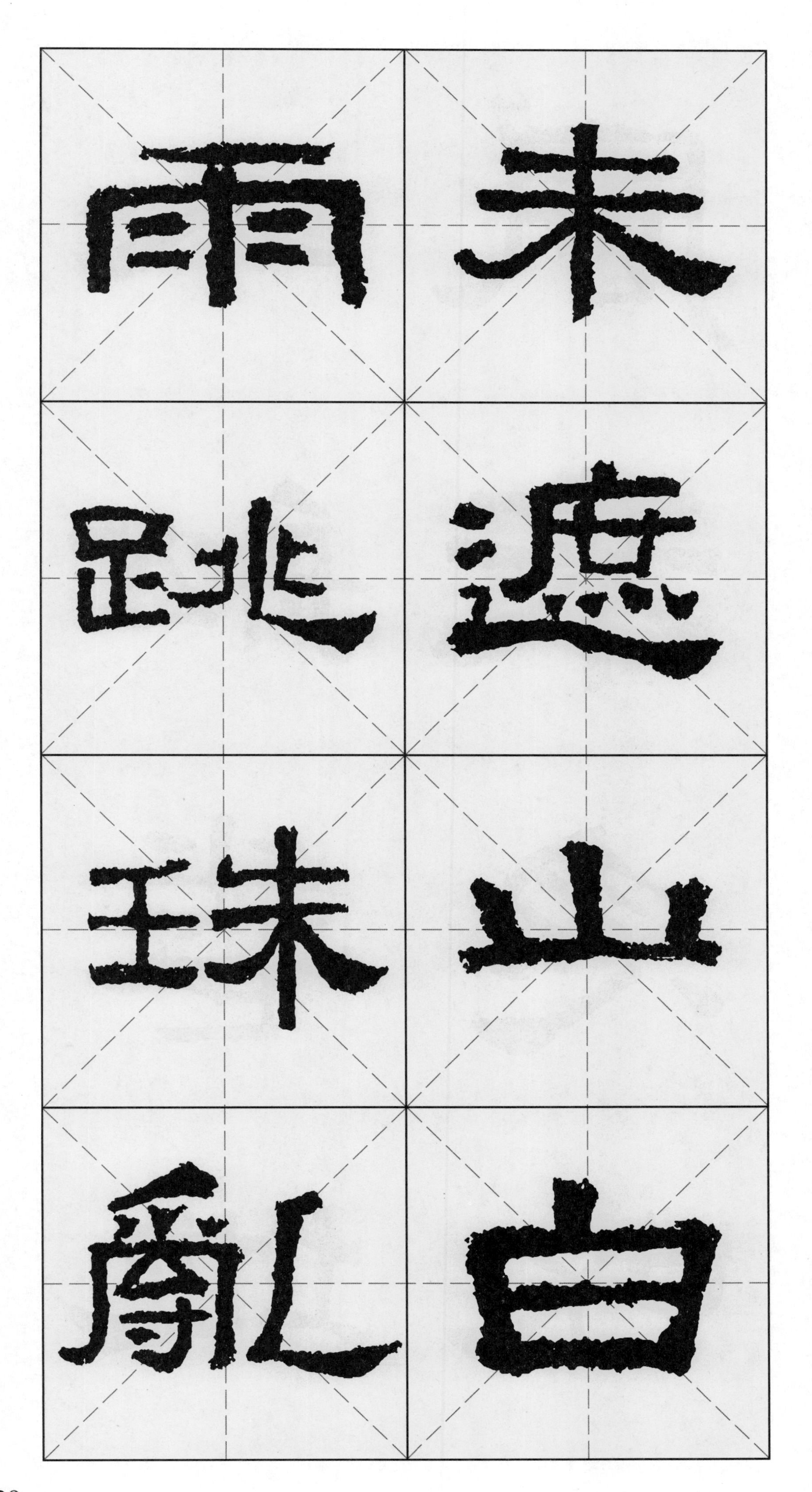
未遮山白
雨跳珠亂

入
船
卷
地
風
來
忽
吹

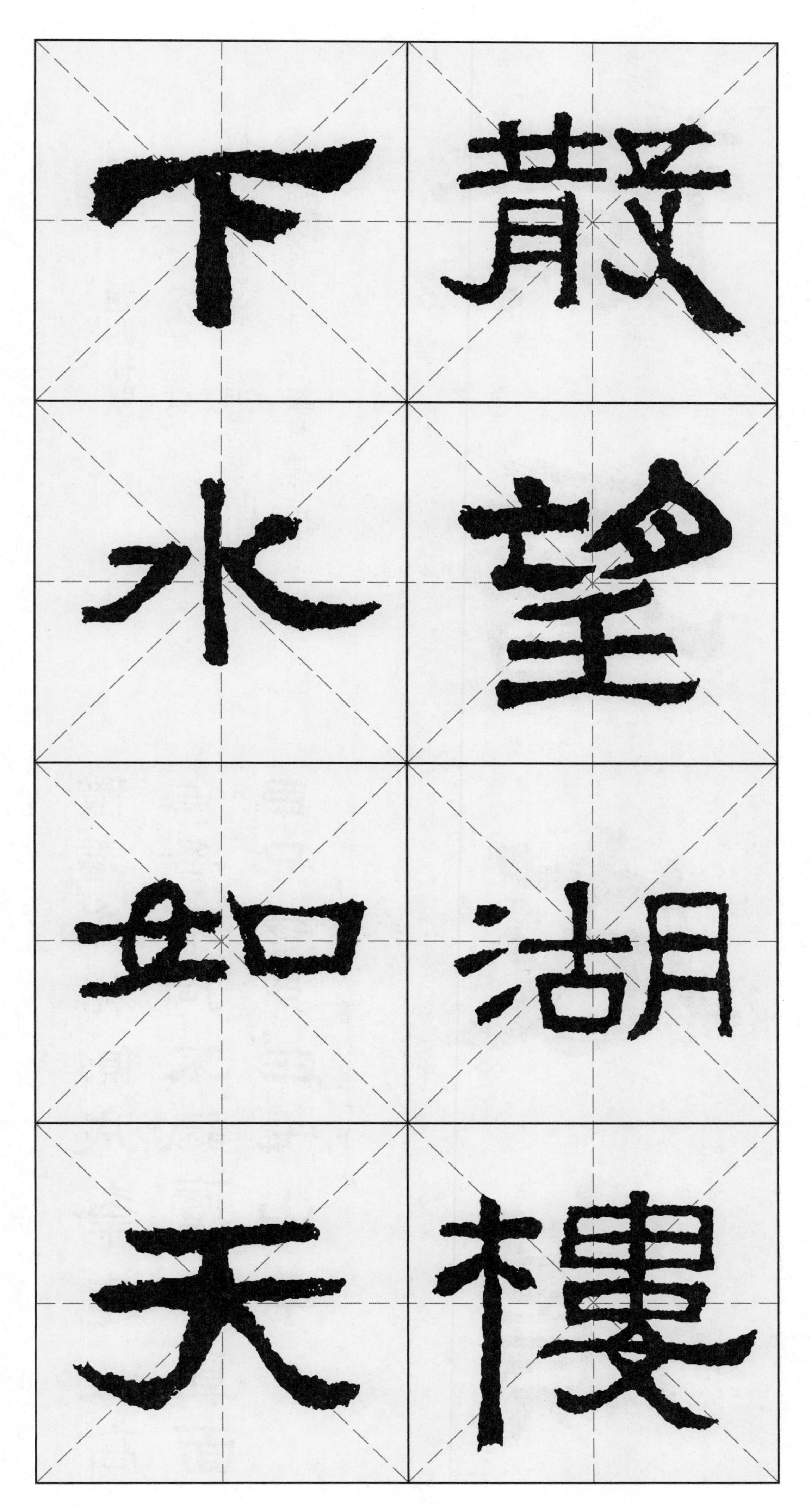
散望湖樓
下水如天

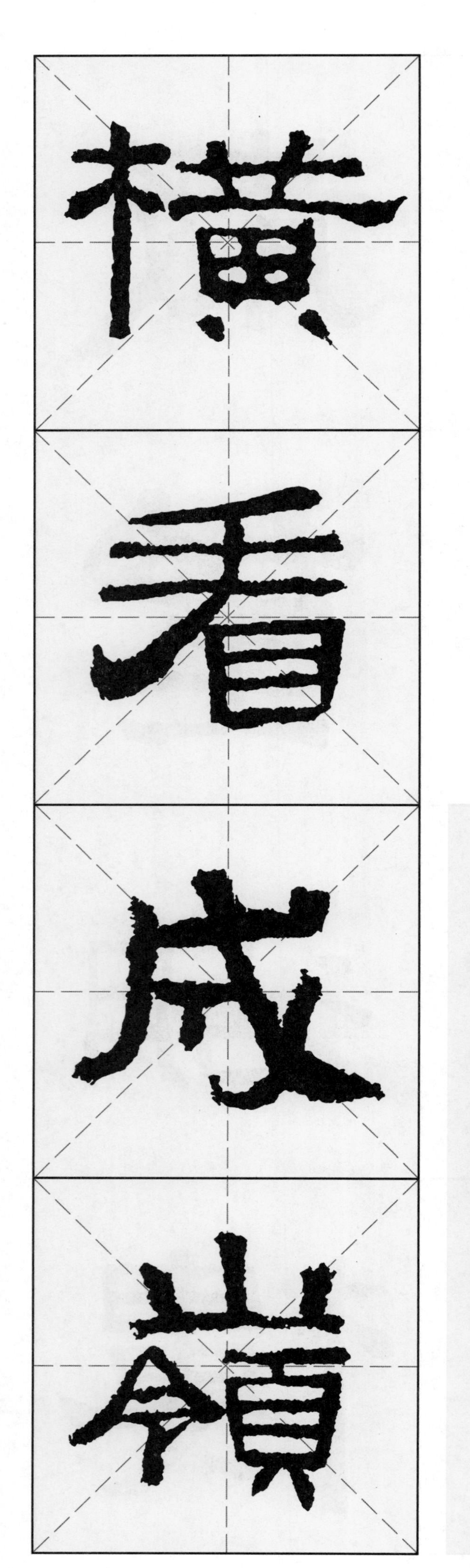

题西林壁

（宋）苏轼

横看成岭侧成峰，远近高低各不同。
不识庐山真面目，只缘身在此山中。

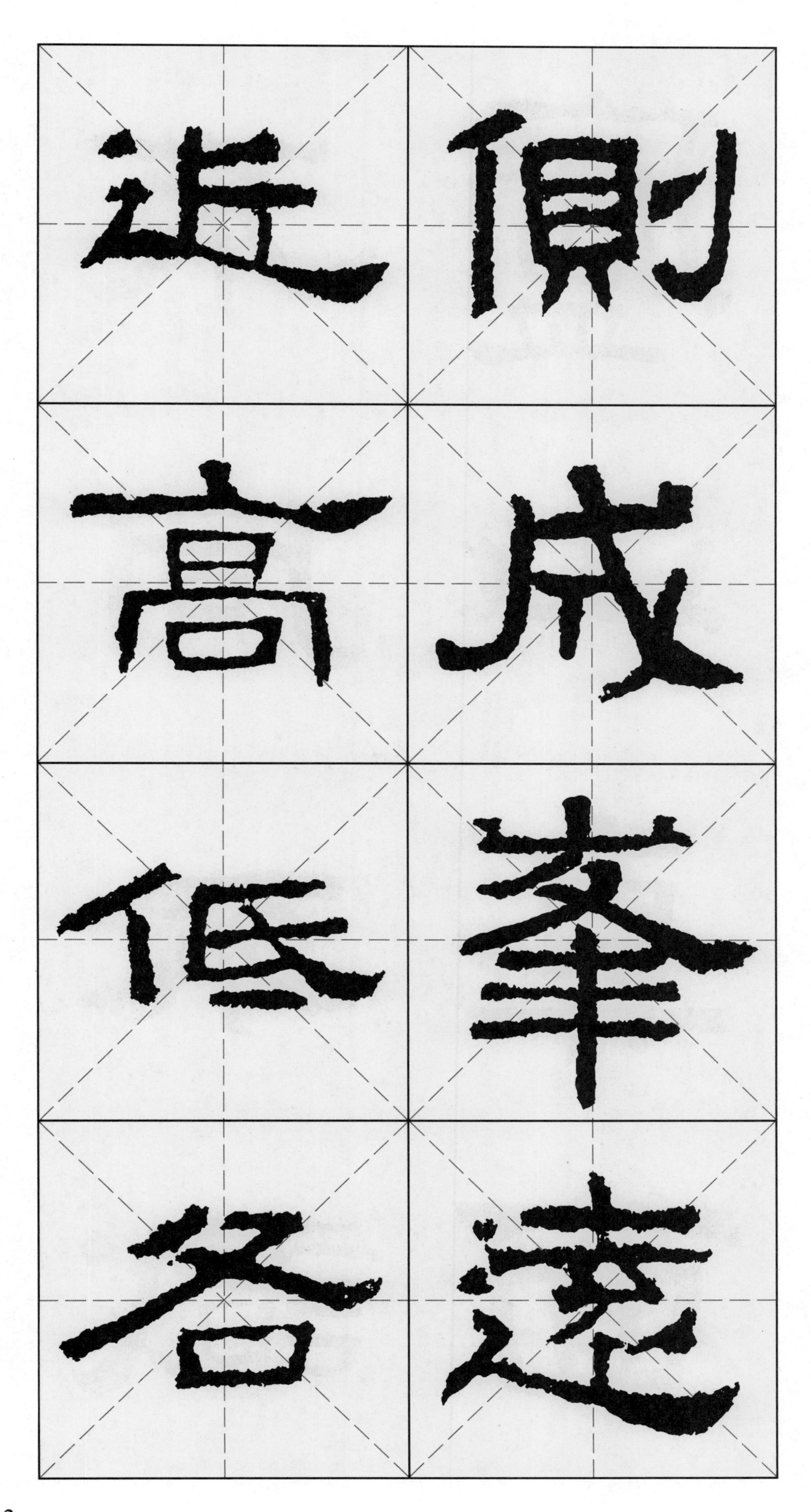

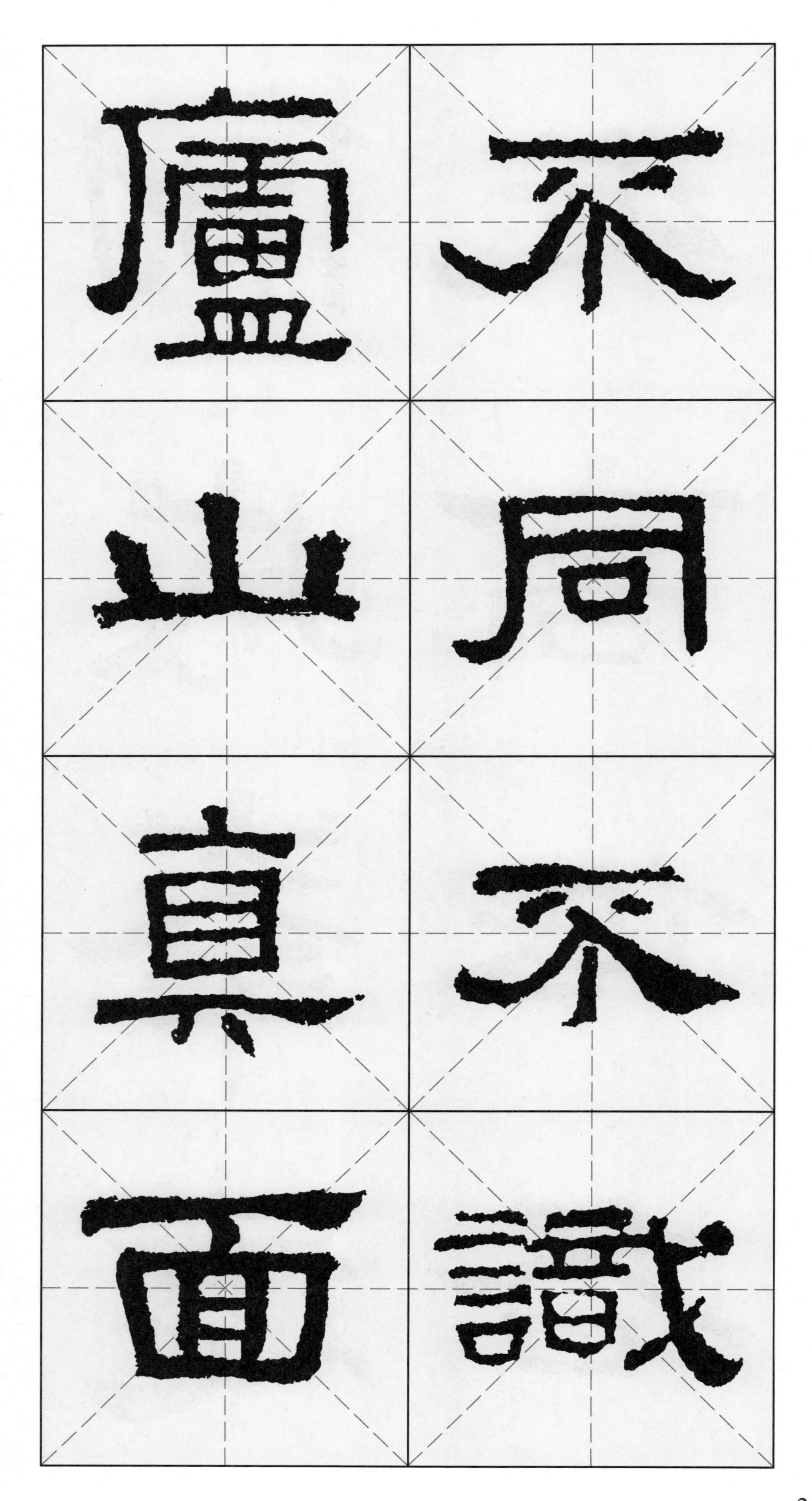
不同
不識
廬山
真面

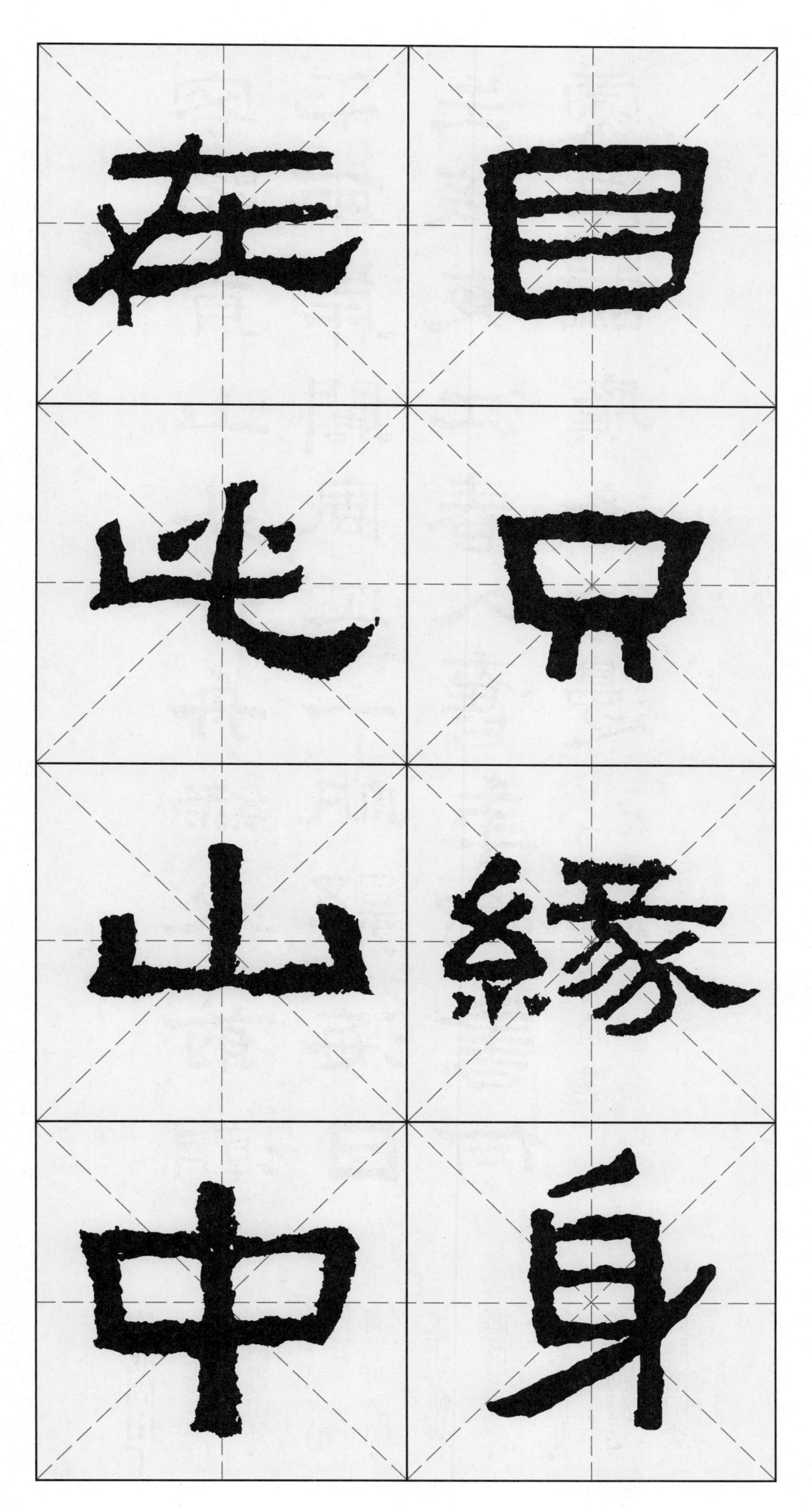
目
只
緣
身
在
此
山
中

次北固山下

（唐）王湾

客路青山外，
行舟绿水前。
潮平两岸阔，
风正一帆悬。
海日生残夜，
江春入旧年。
乡书何处达，
归雁洛阳边。

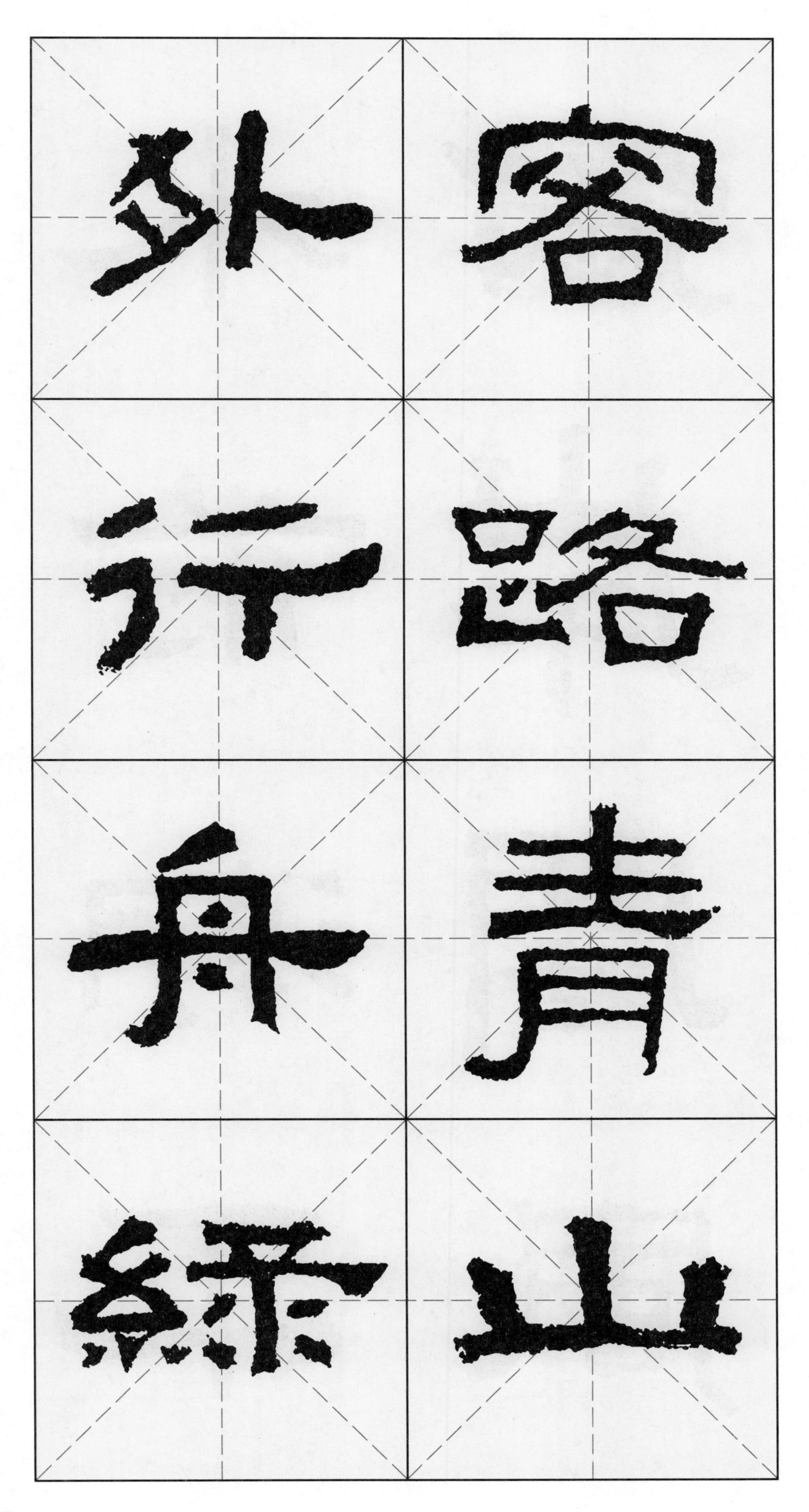
客路青山
外行舟綠

水前潮平
兩岸闊風

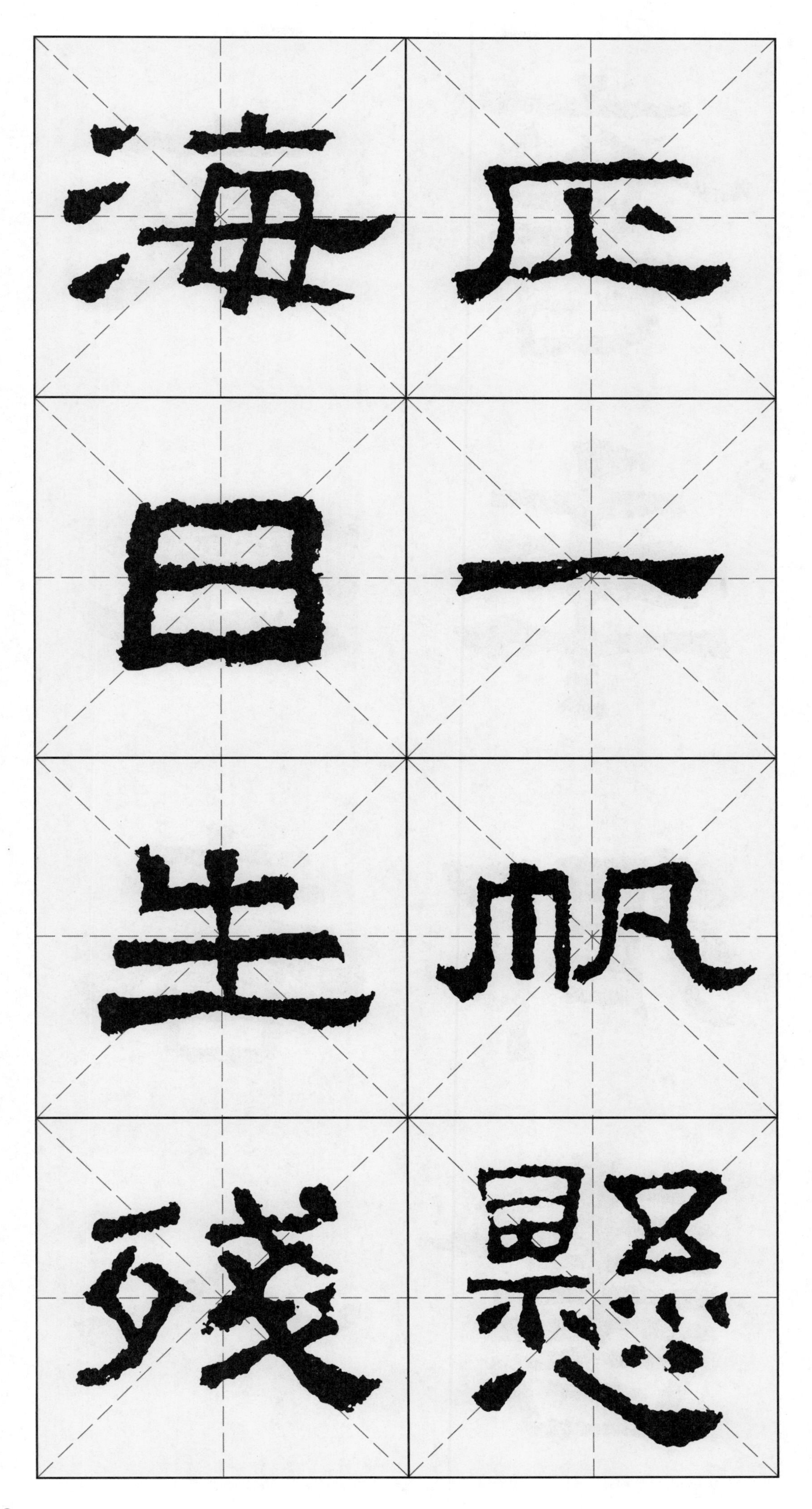
正一帆悬
海日生残

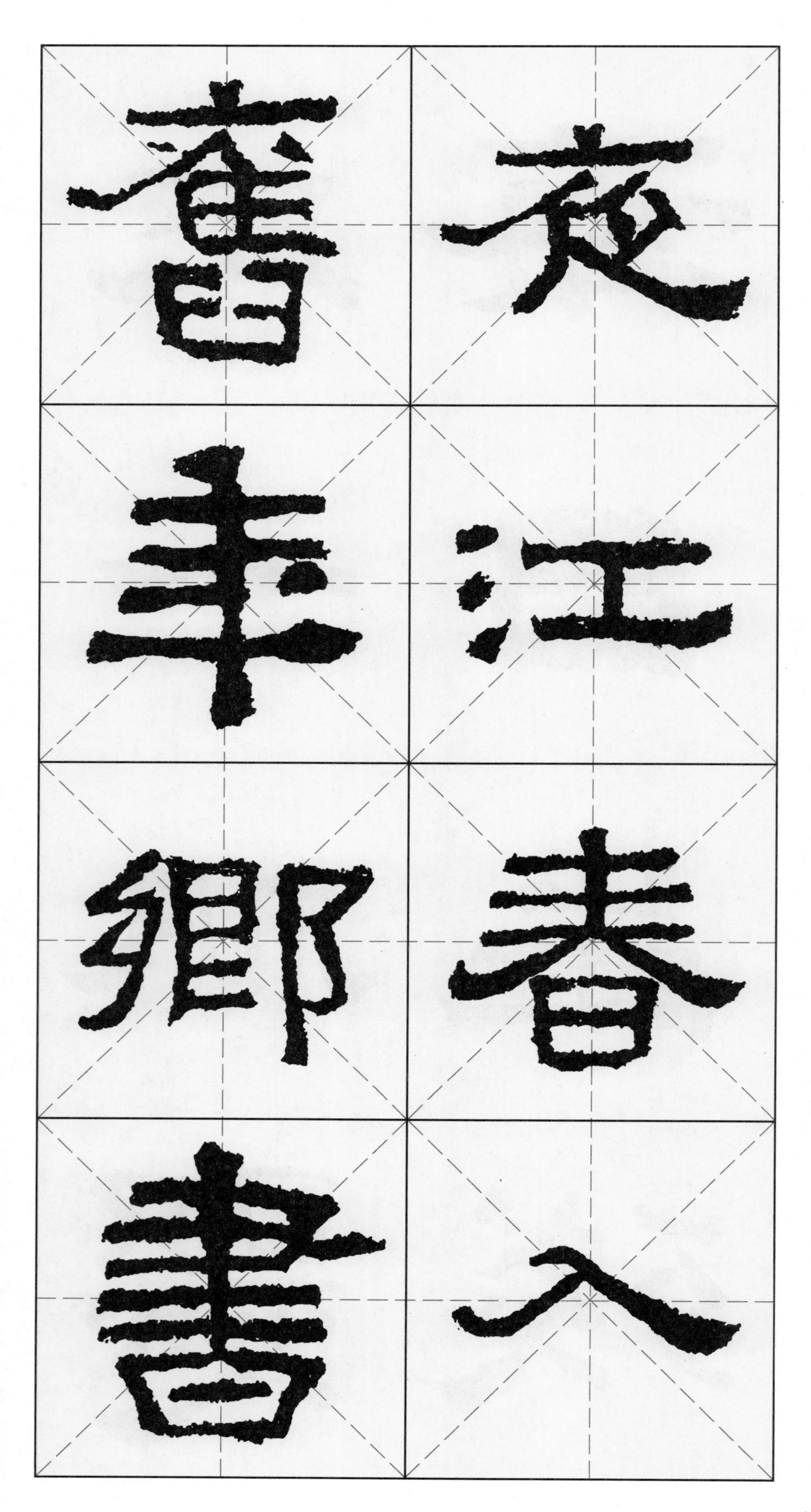
夜江春入
舊年鄉書

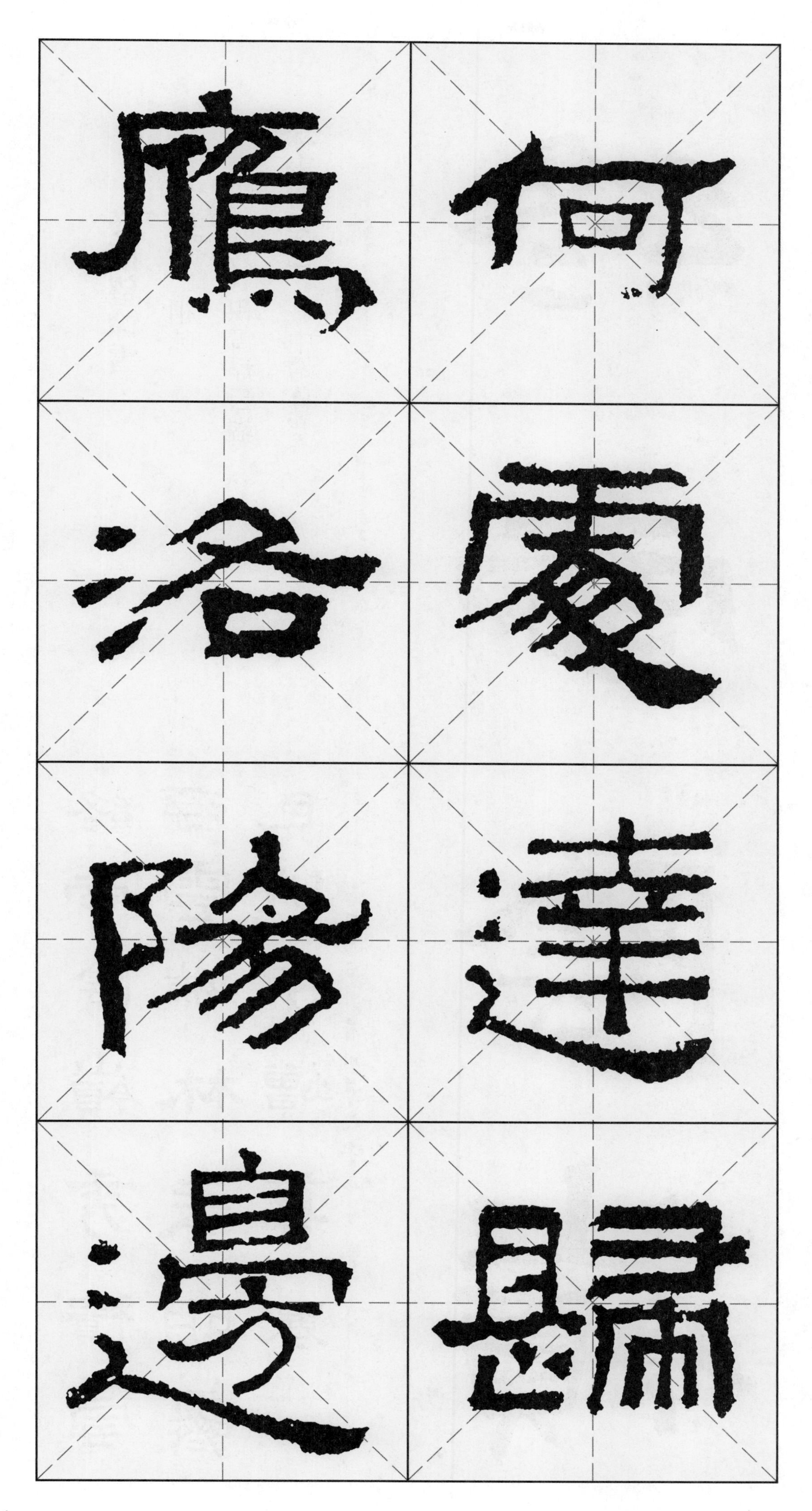
何處達歸
鴈洛陽邊

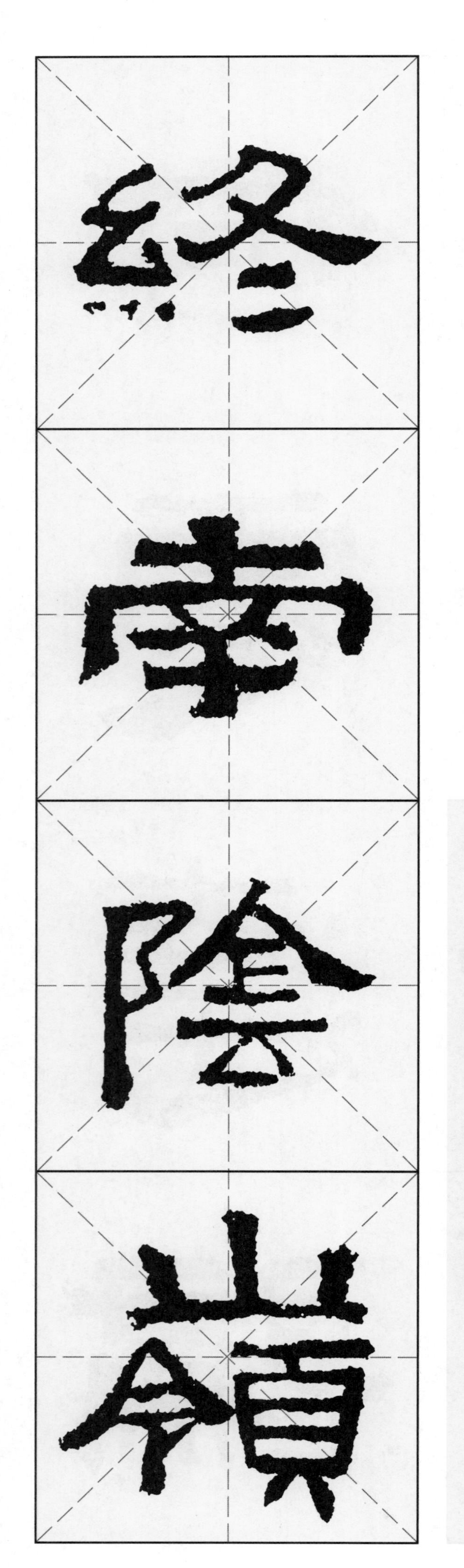

终南望馀雪

（唐）祖咏

终南阴岭秀，积雪浮云端。

林表明霁色，城中增暮寒。

終南陰嶺秀積雪
浮雲端林表明霽
色城中增暮寒

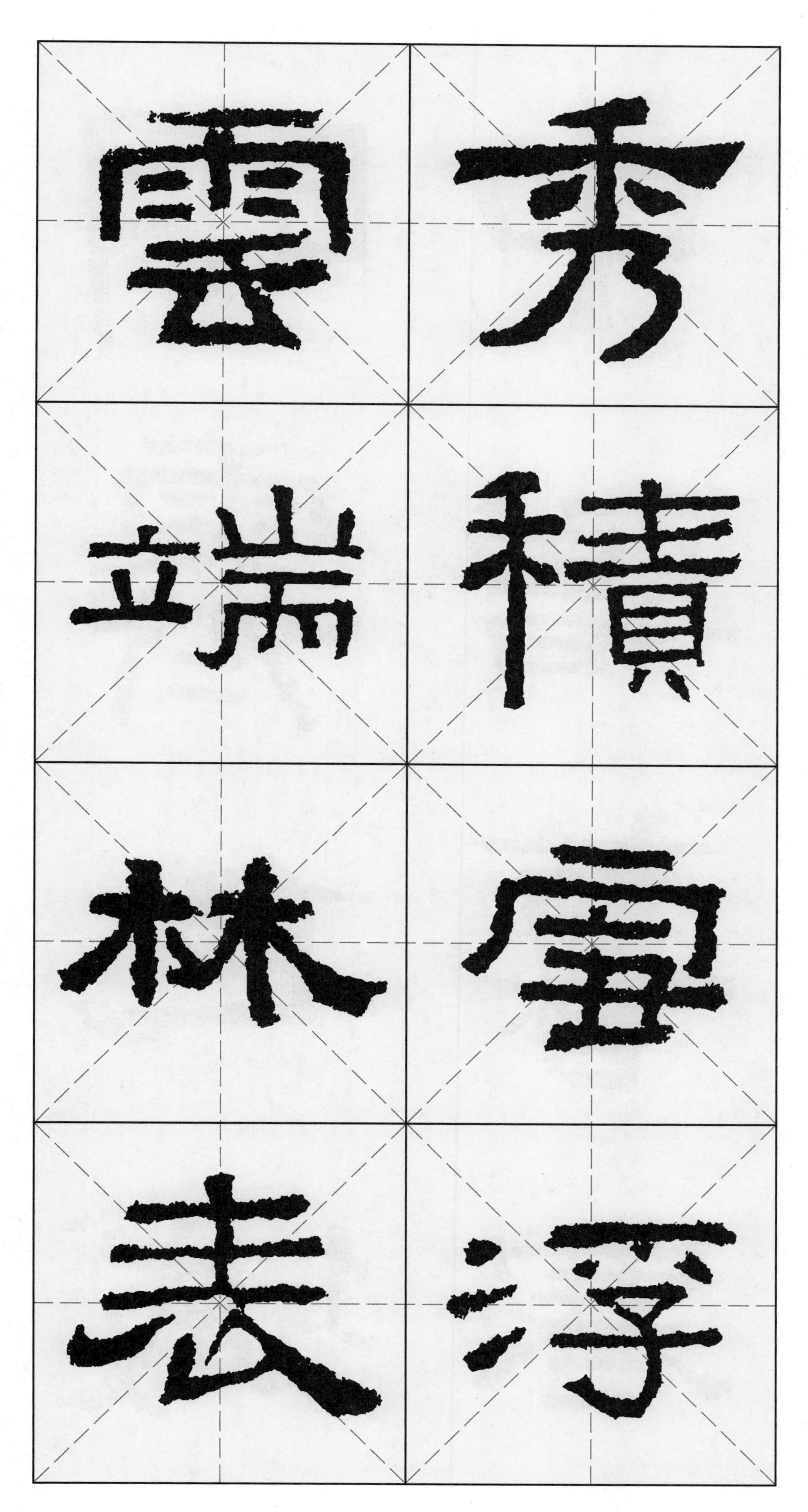

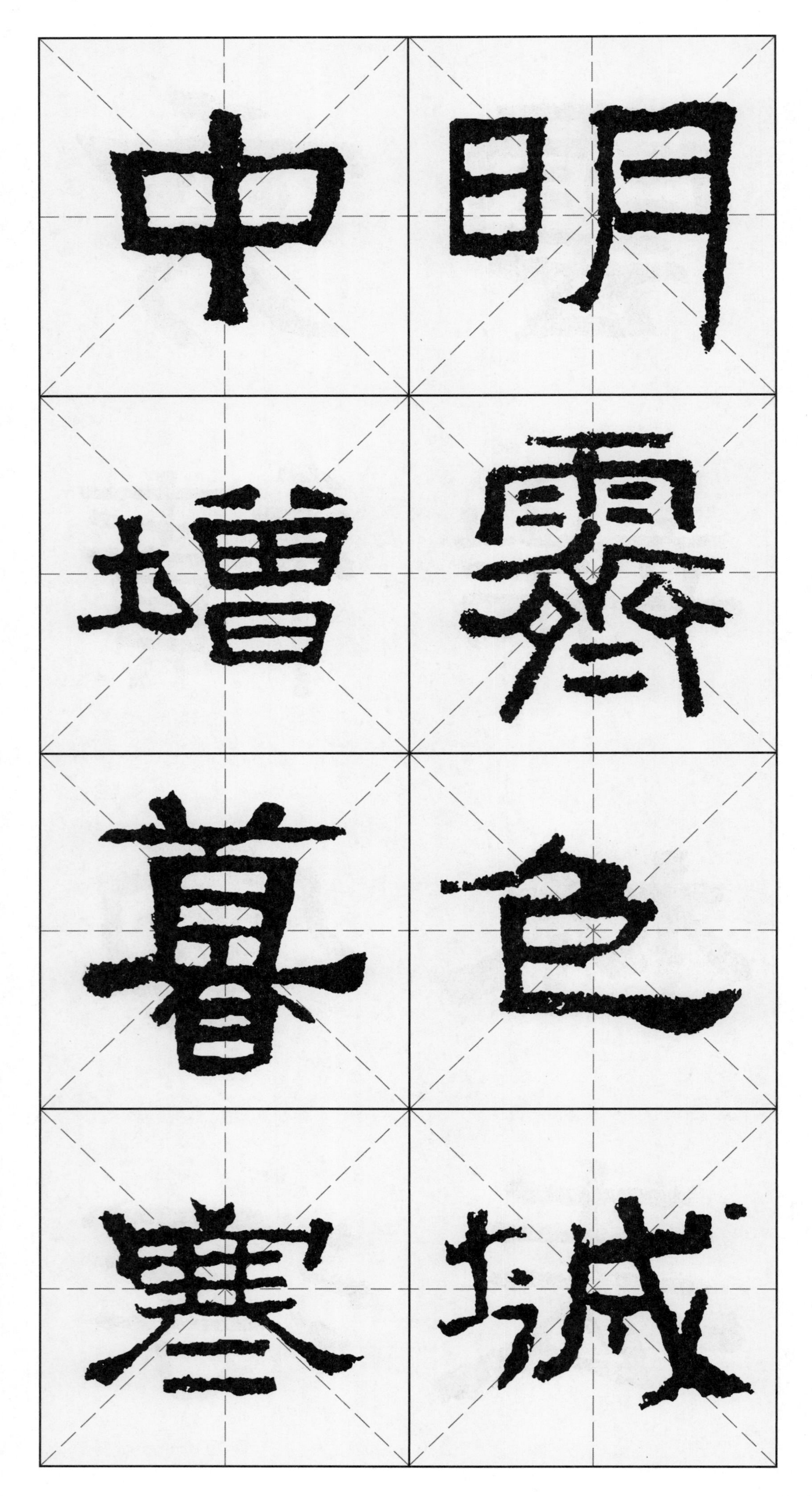
明霽色城
中增暮寒

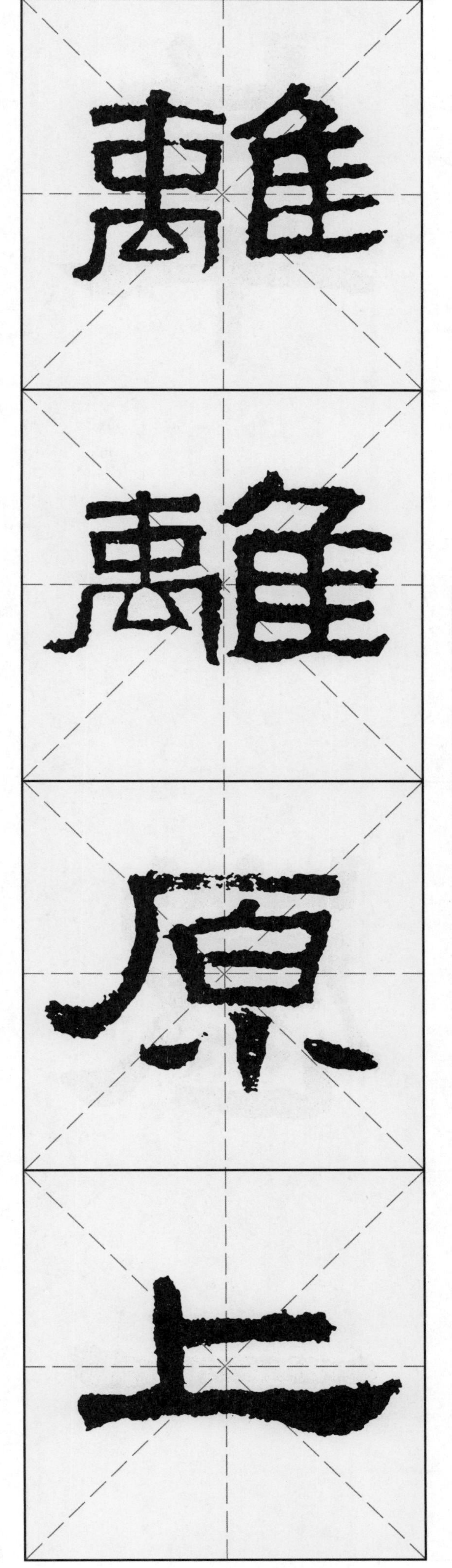

赋得古原草送别

（唐）白居易

离离原上草，一岁一枯荣。
野火烧不尽，春风吹又生。
远芳侵古道，晴翠接荒城。
又送王孙去，萋萋满别情。

離離原上草一歲一枯榮野火燒不
盡春風吹又生遠芳侵古道晴翠
接荒城又送王孫去萋萋滿別情
丁酉三月看川集於壹山

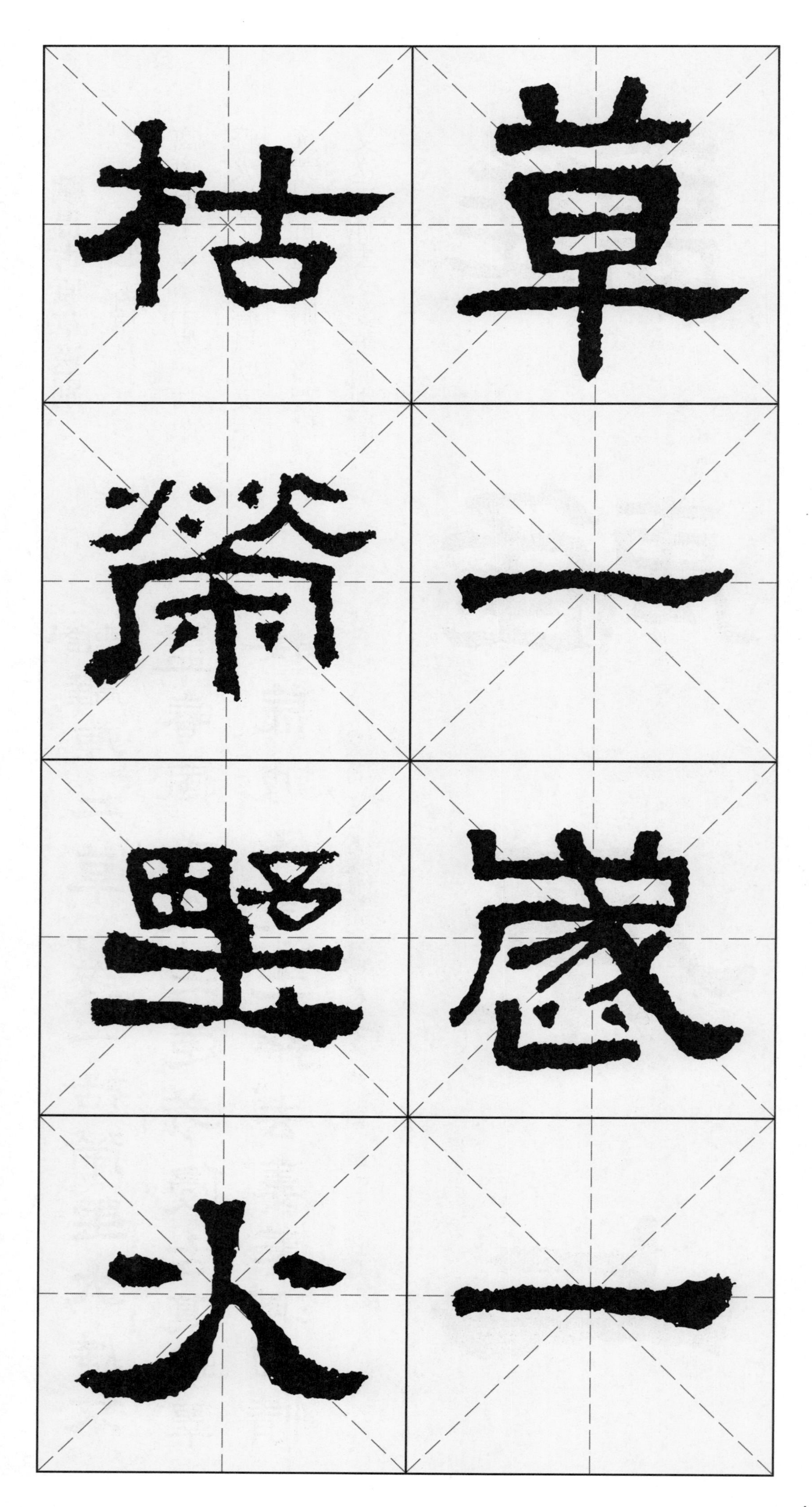
草
枯
一
榮
歲
墨
一
火

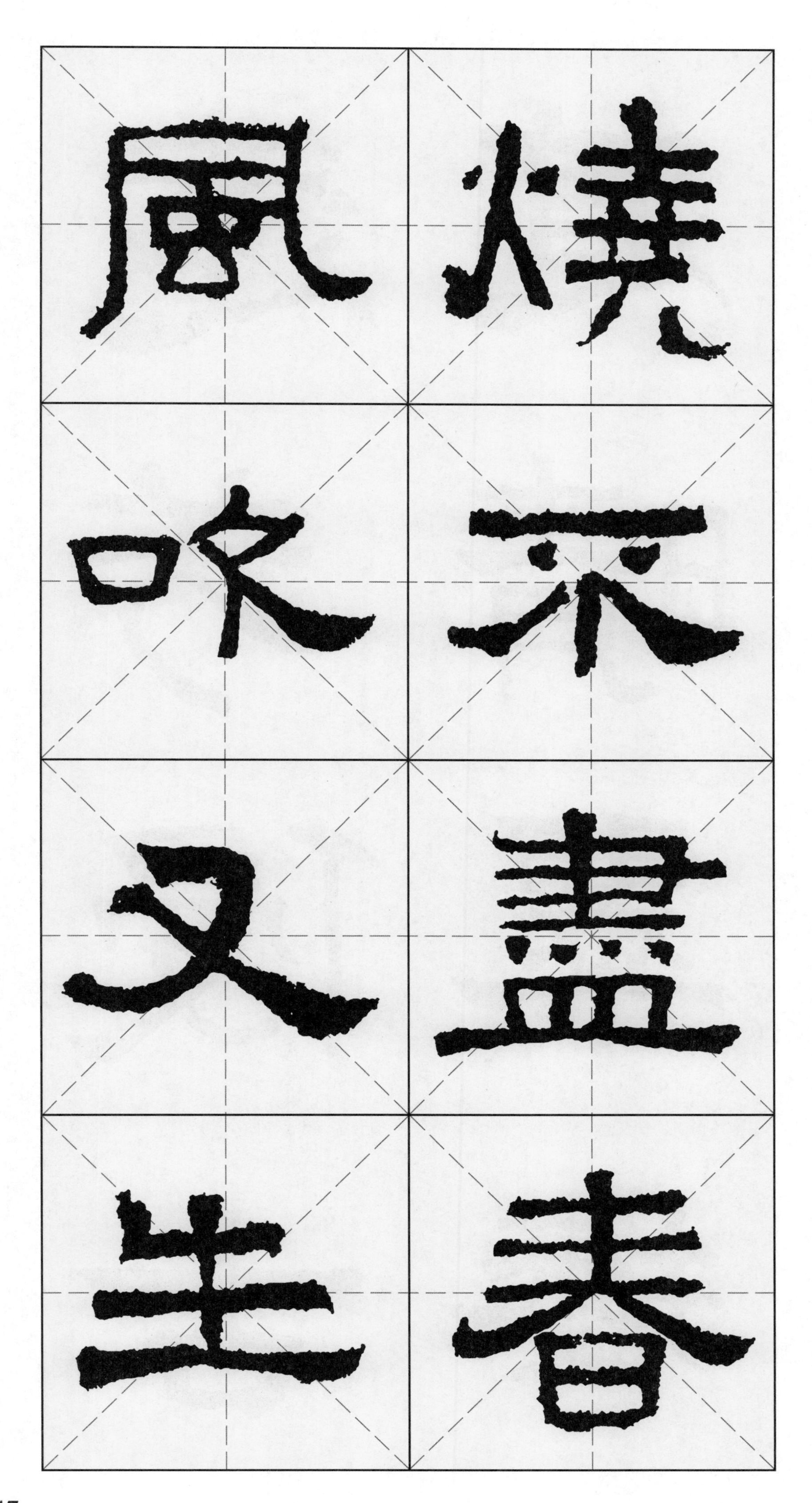
燒不盡春風吹又生

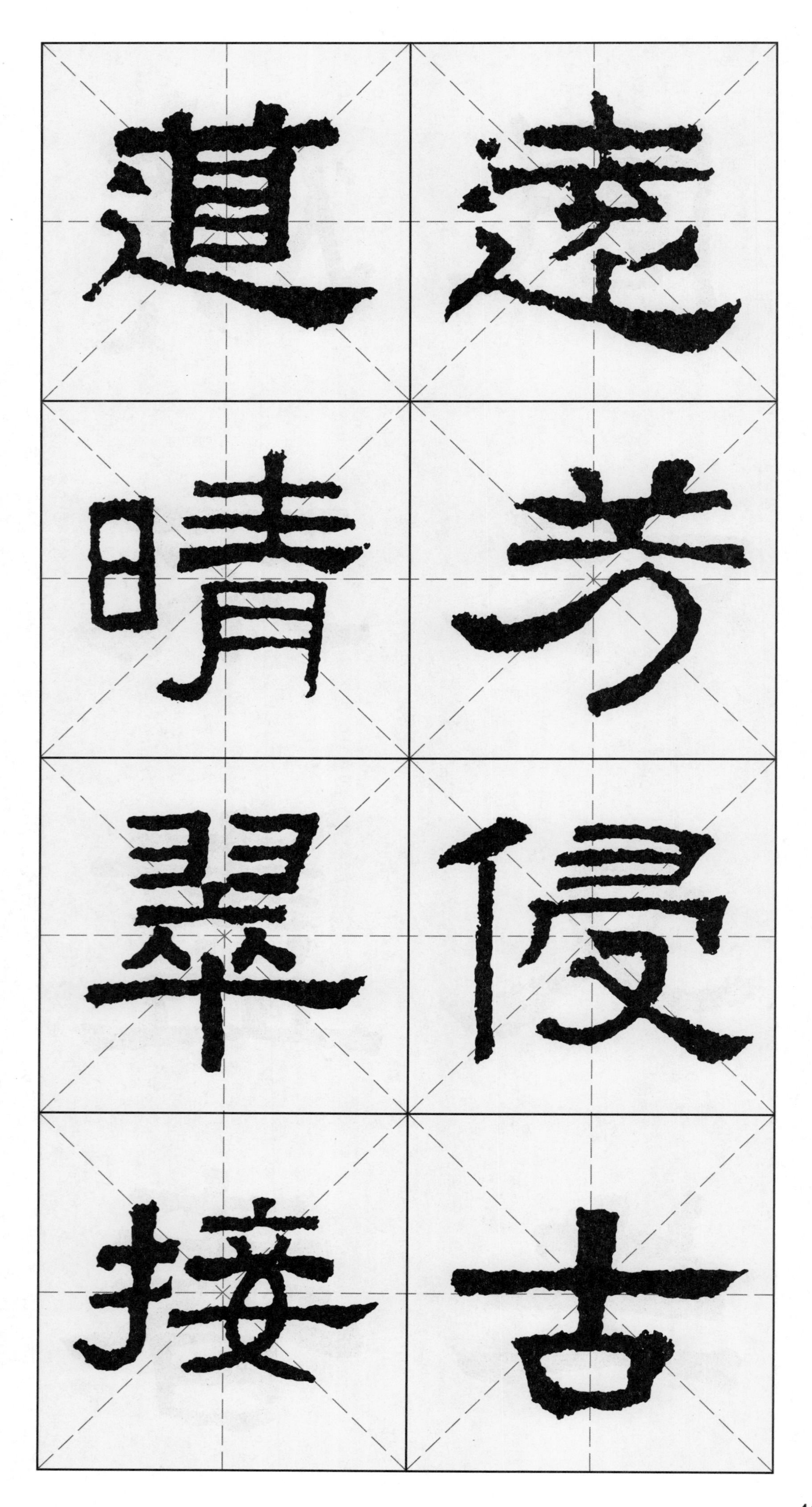
遠
道
芳
晴
侵
翠
古
接

荒城又送
王孫去萋

夜泊牛渚怀古

（唐）李白

牛渚西江夜，青天无片云。
登舟望秋月，空忆谢将军。
余亦能高咏，斯人不可闻。
明朝挂帆席，枫叶落纷纷。

牛渚西江夜青天無片雲登舟
望秋月空憶謝將軍余亦能高
詠斯人不可聞明朝挂帆席楓
葉落紛紛

丁酉三月有川集於雲山

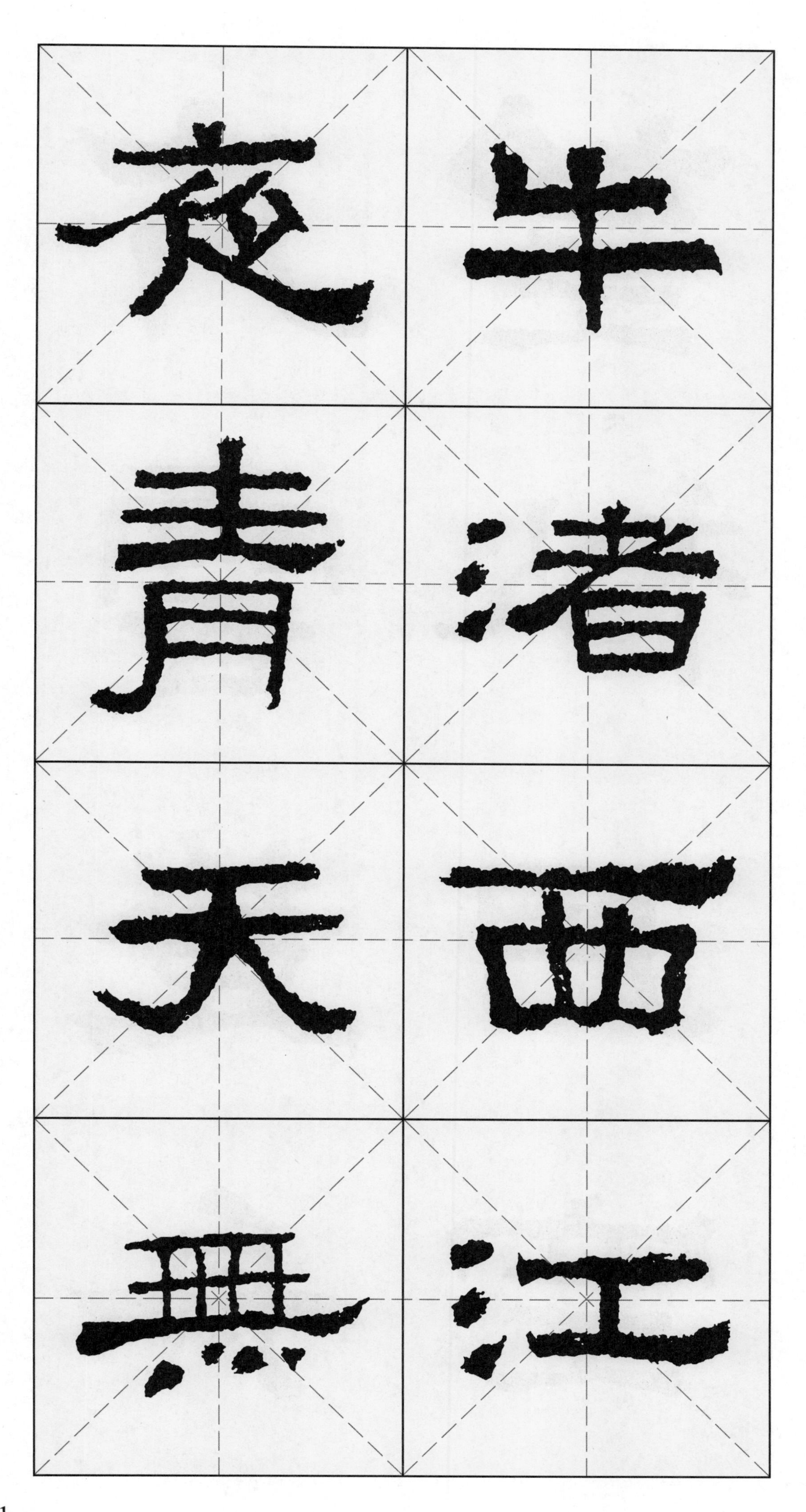
半渚西江
夜青天無

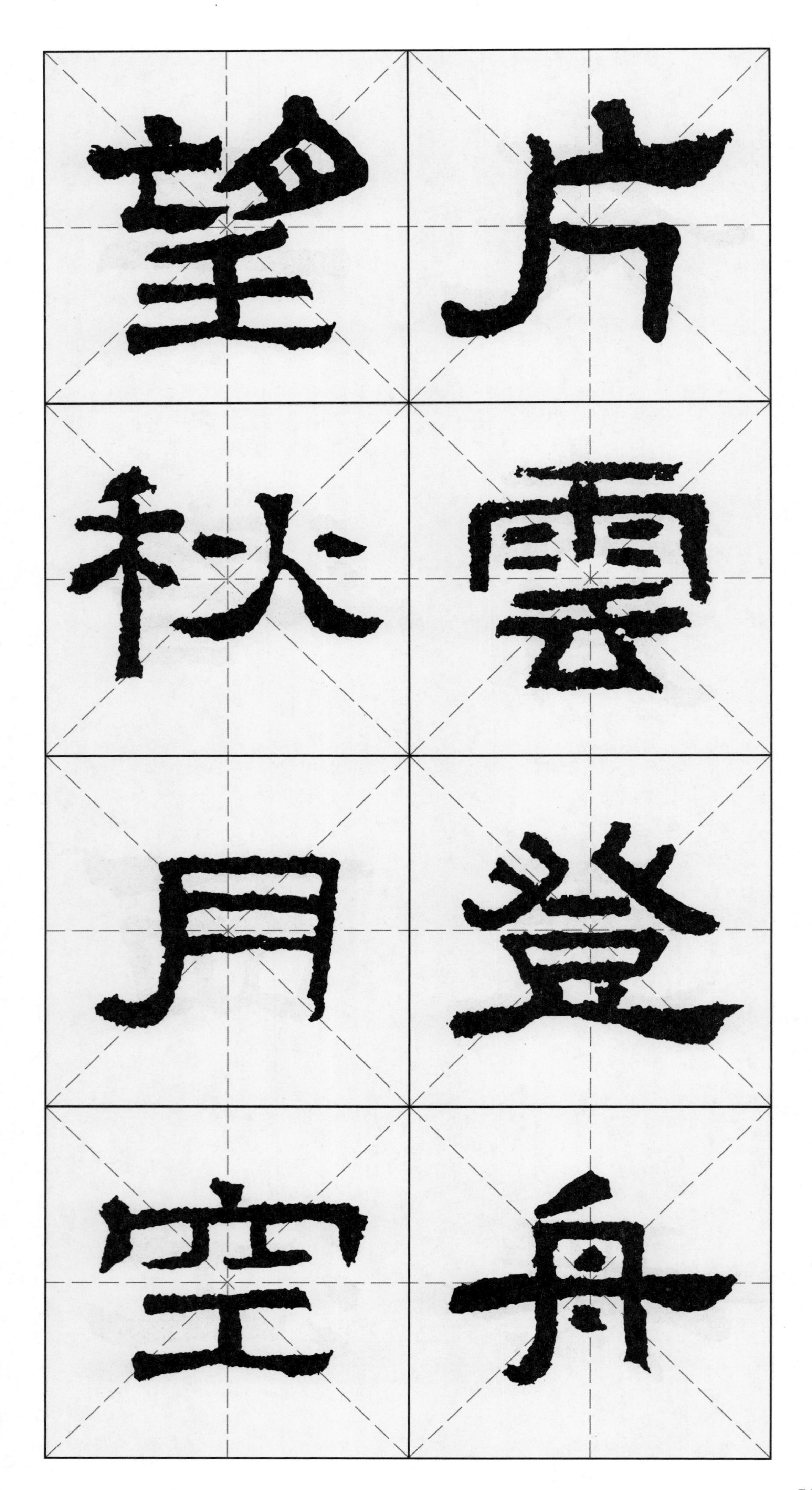
片
望
雲
秋
登
月
舟
空

憶
謝
將
軍
余
亦
能
高

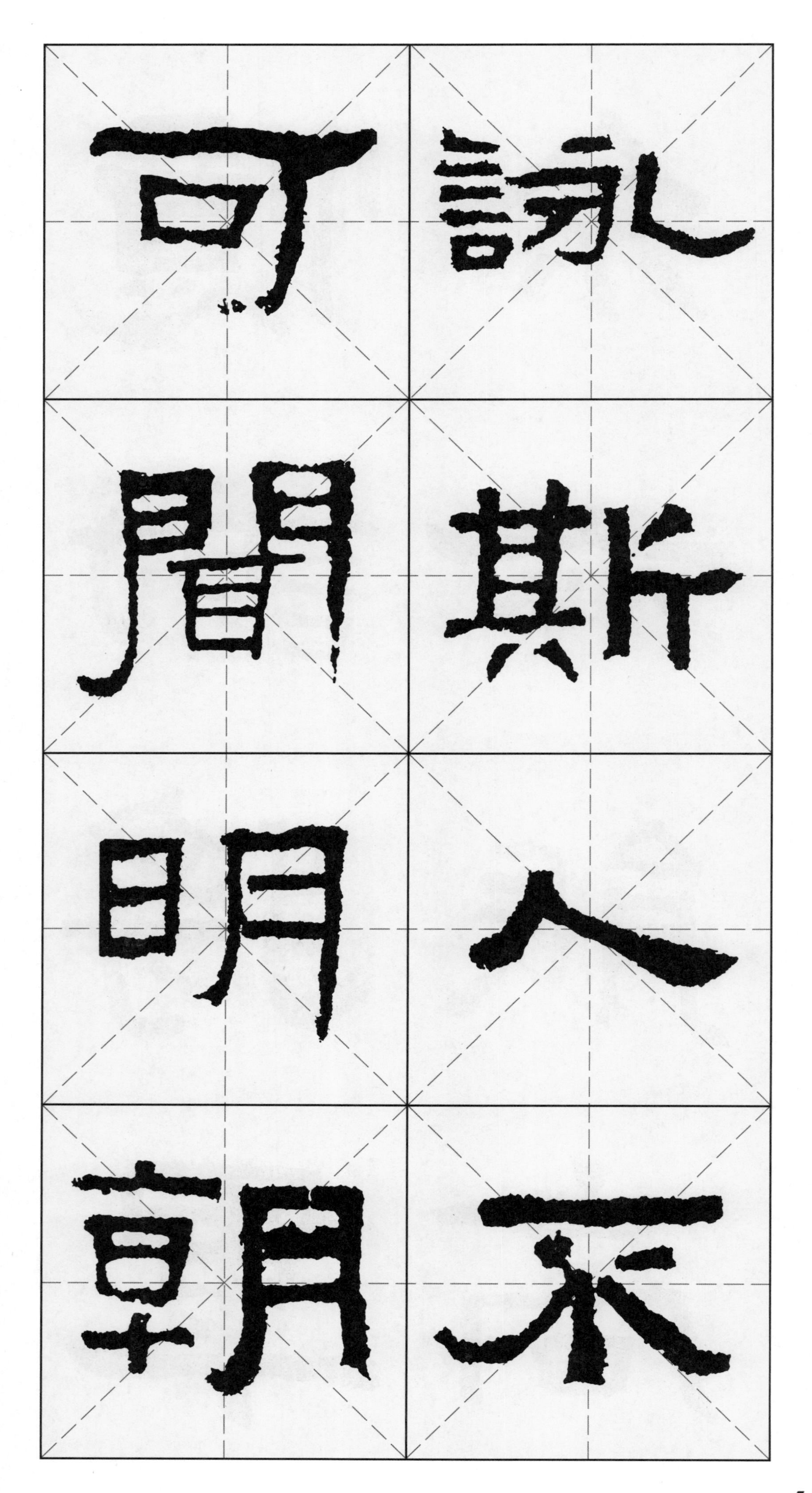

挂
帆
席
枫
叶
落
纷
纷

空山新雨後天氣晚来秋明月松間照清泉石上流竹喧歸浣女蓮動下漁舟隨意春芳歇王孫自可留

丁酉三月有川集 於壹山

山居秋暝

（唐）王维

空山新雨后，
天气晚来秋。
明月松间照，
清泉石上流。
竹喧归浣女，
莲动下渔舟。
随意春芳歇，
王孙自可留。

空山新雨
後天氣晚

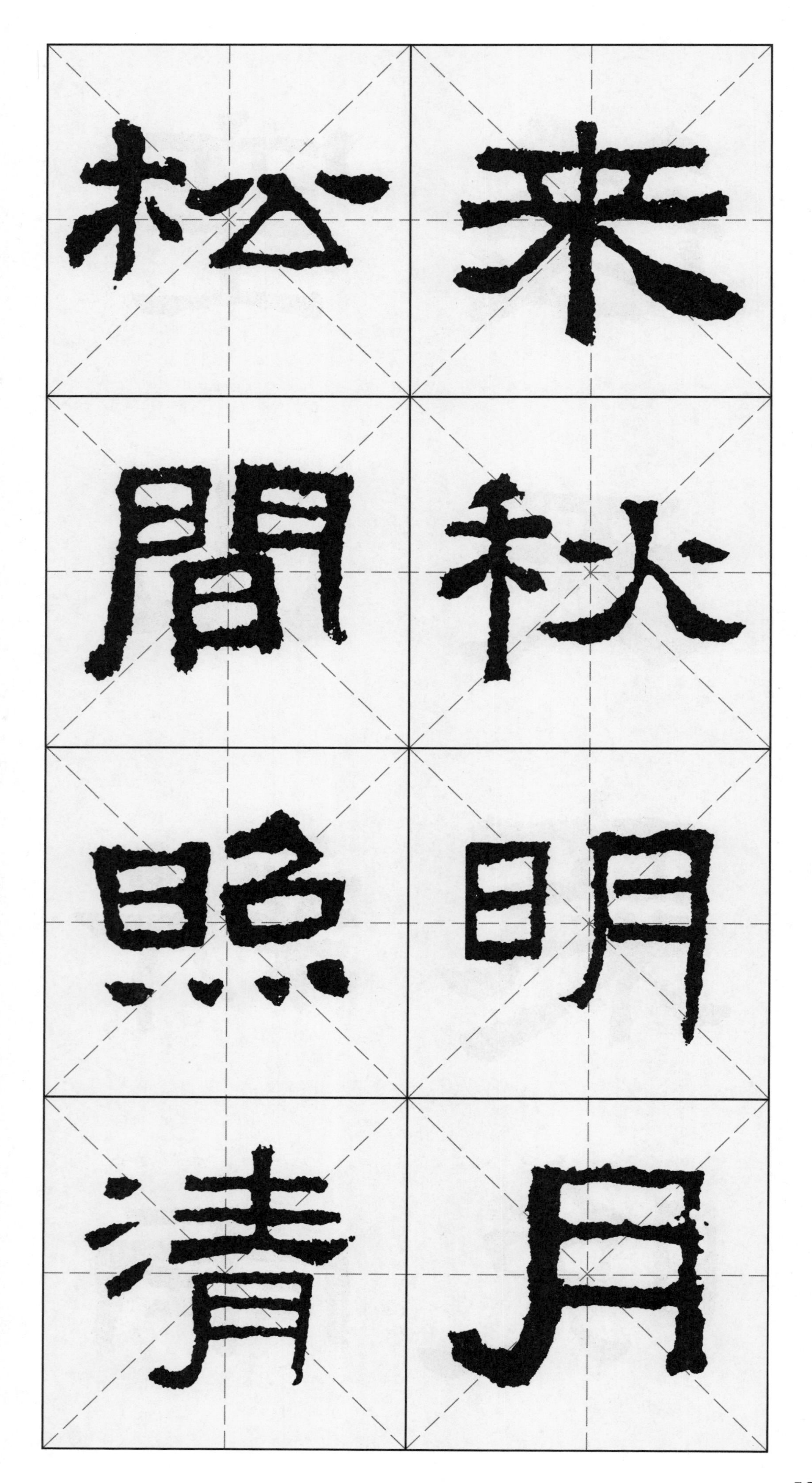
來秋明月
松間照清

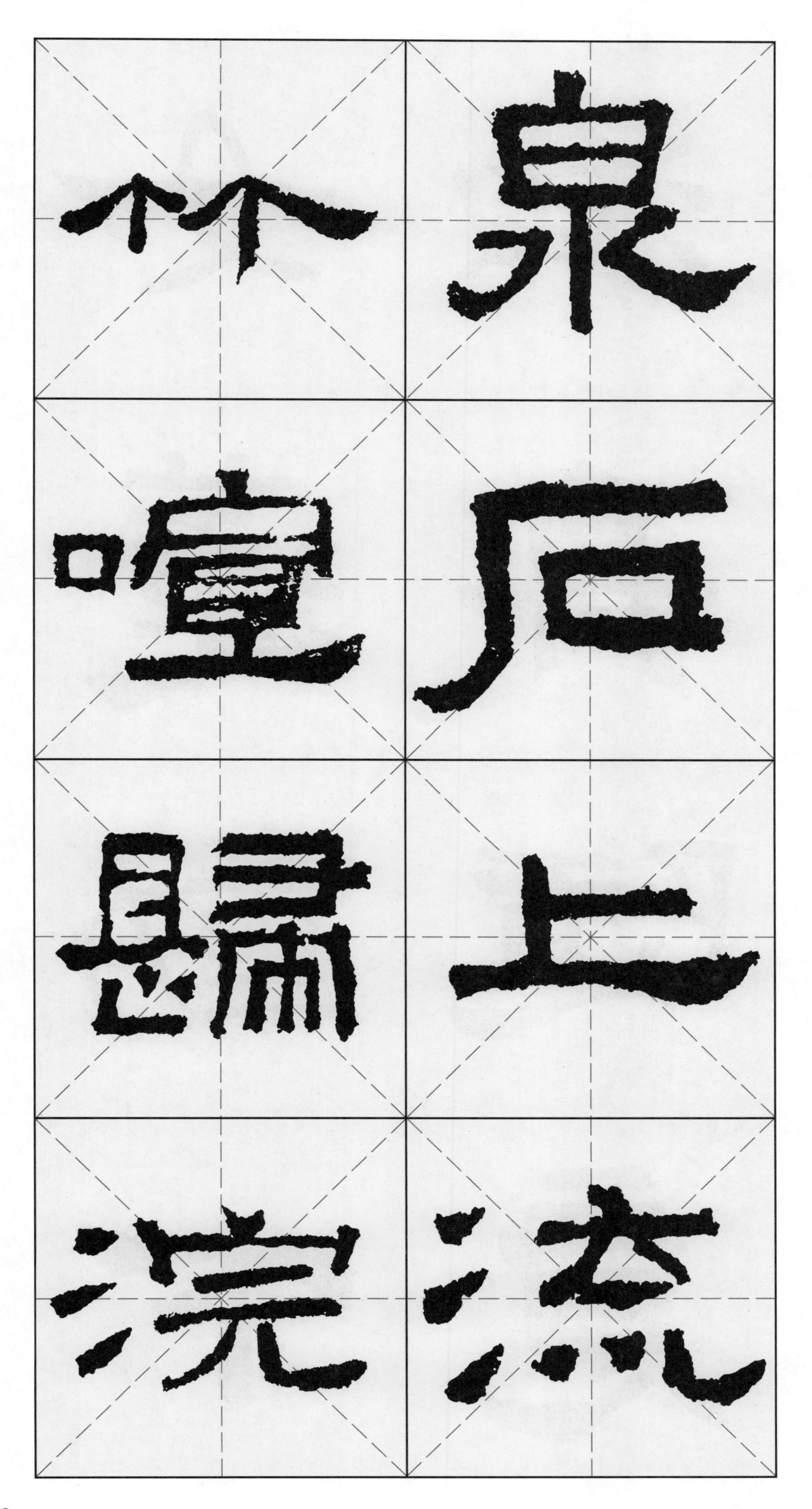
泉石上流
竹喧歸浣

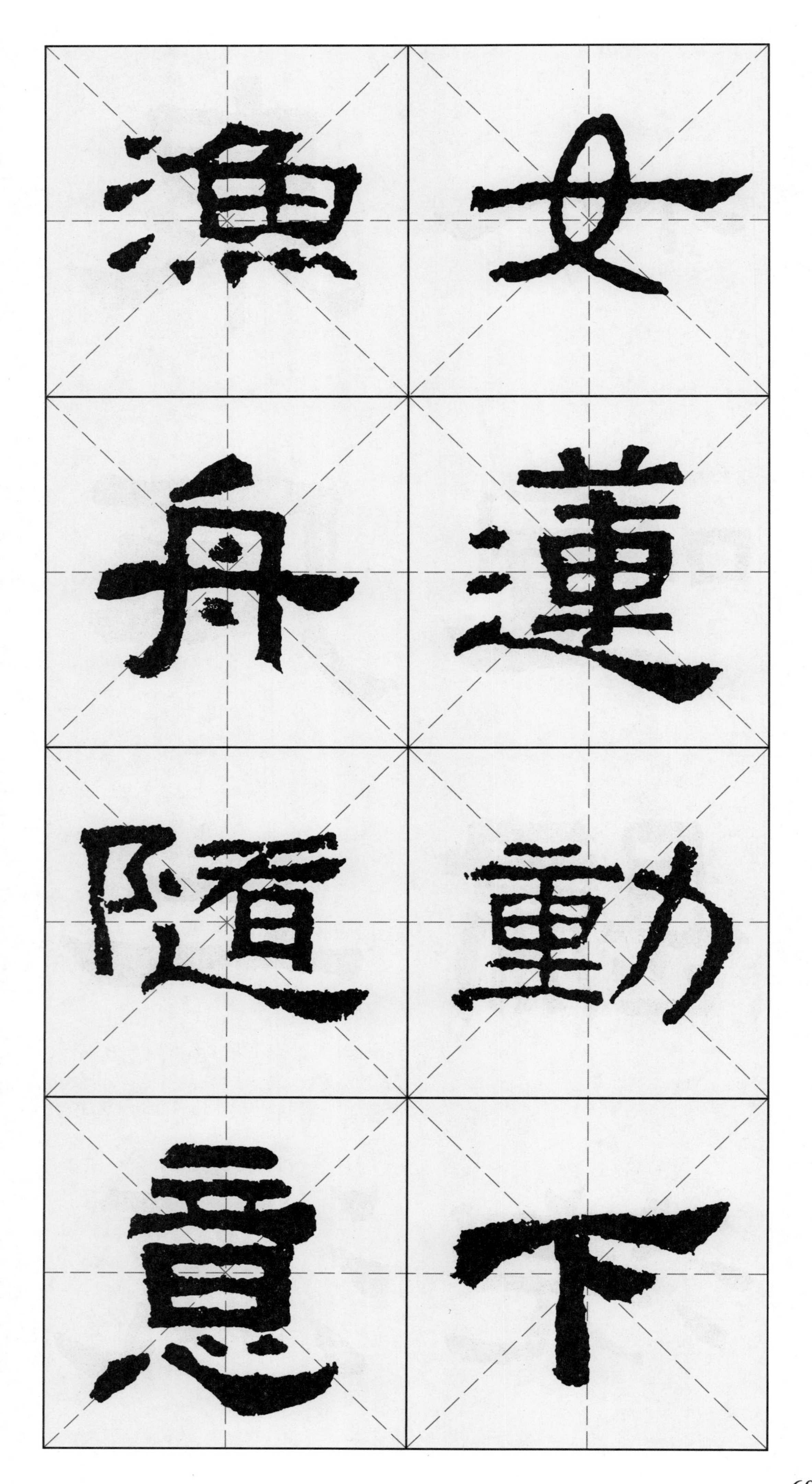
女
蓮
動
下
漁
舟
隨
意

春芳歇王
孫自可留

蜀道后期

（唐）张说

客心争日月，来往预期程。
秋风不相待，先至洛阳城。

容心争日月来往預期程秋風不相待先至洛陽城

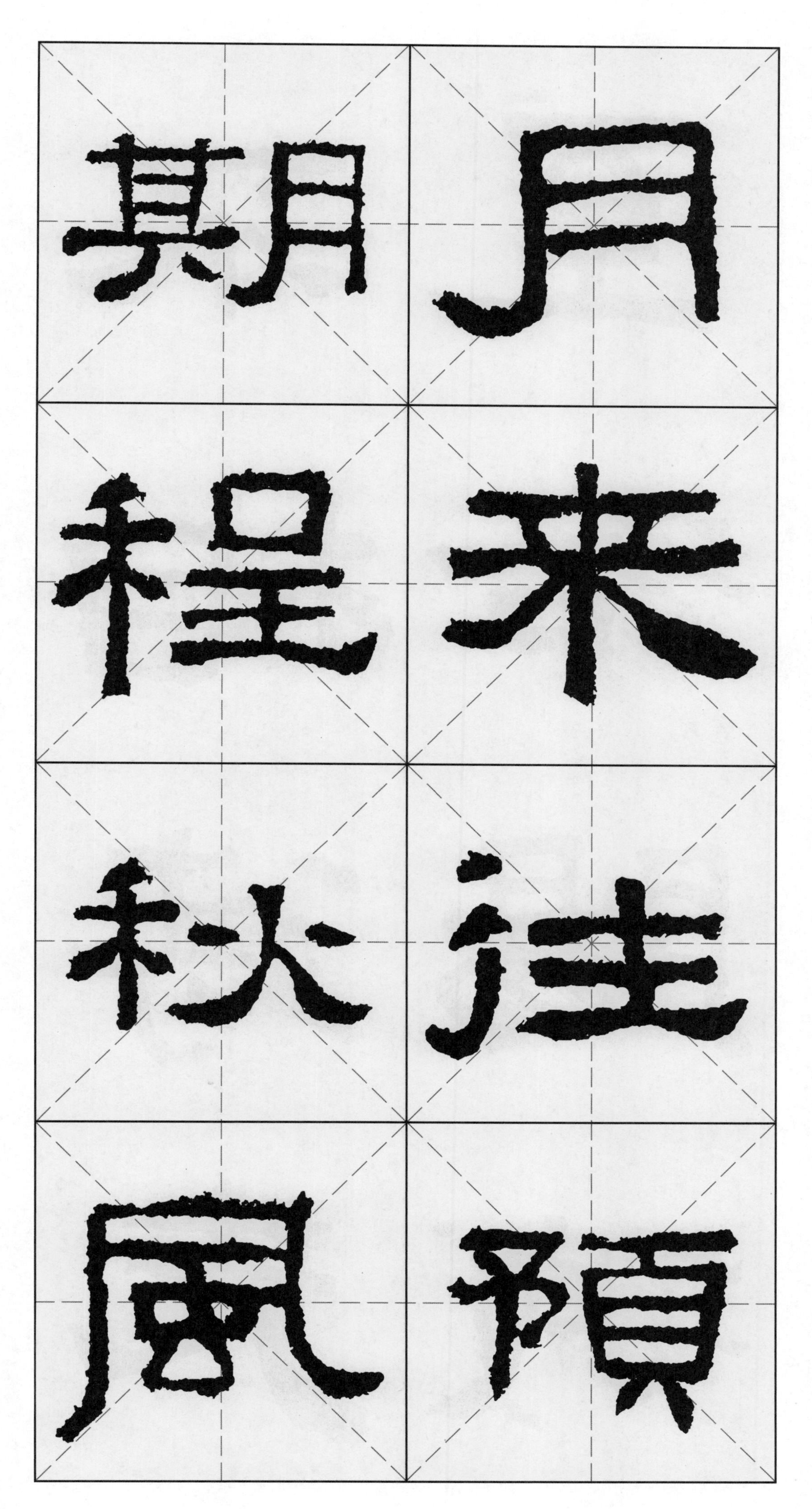
月
來
往
預
期
程
秋
風

论诗五首（其一）

（清）赵翼

满眼生机转化钧，天工人巧日争新。
预支五百年新意，到了千年又觉陈。

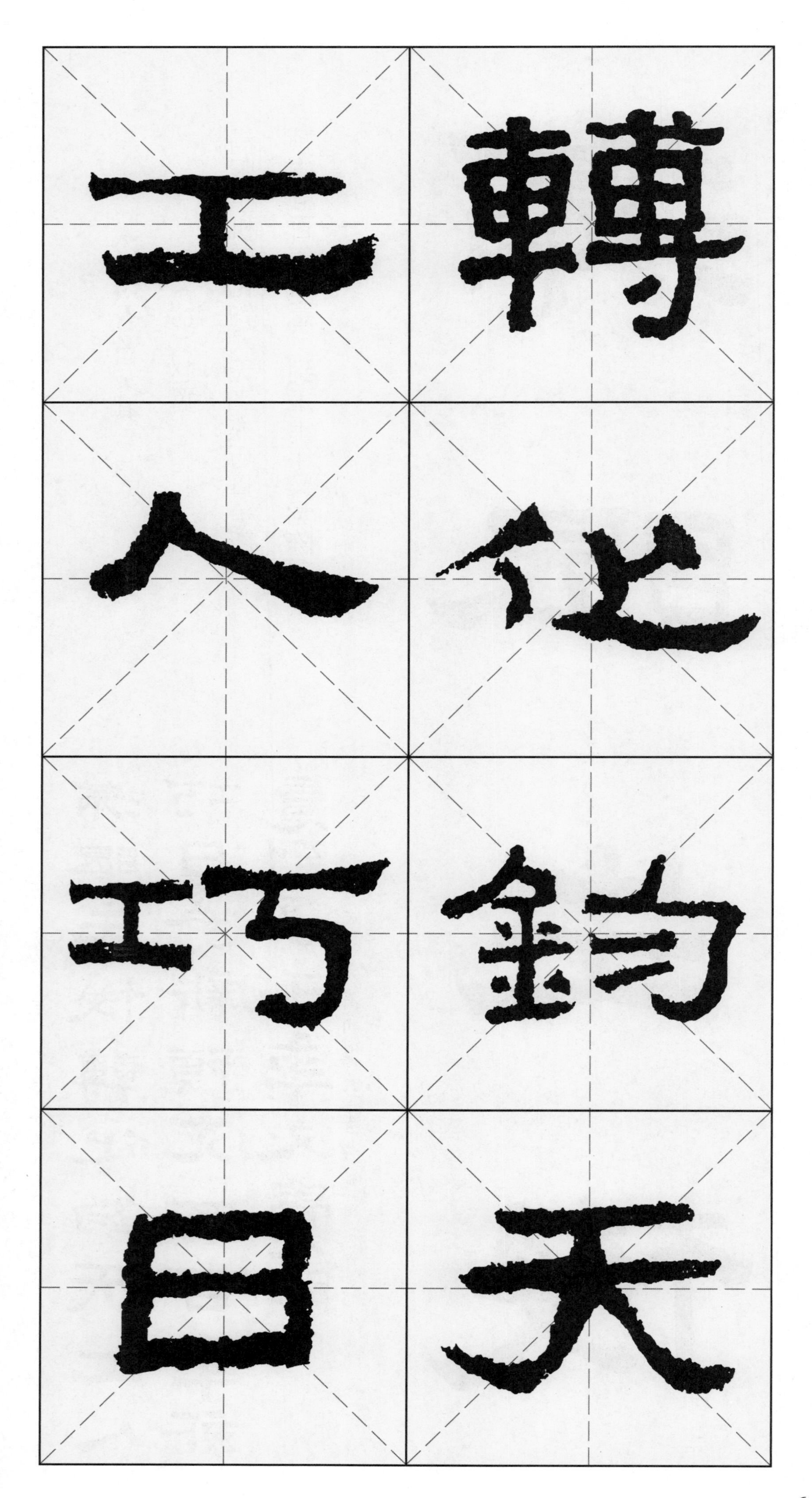
轉
鈞
天
工
人
巧
日

争
新
預
文
五
百
年
新

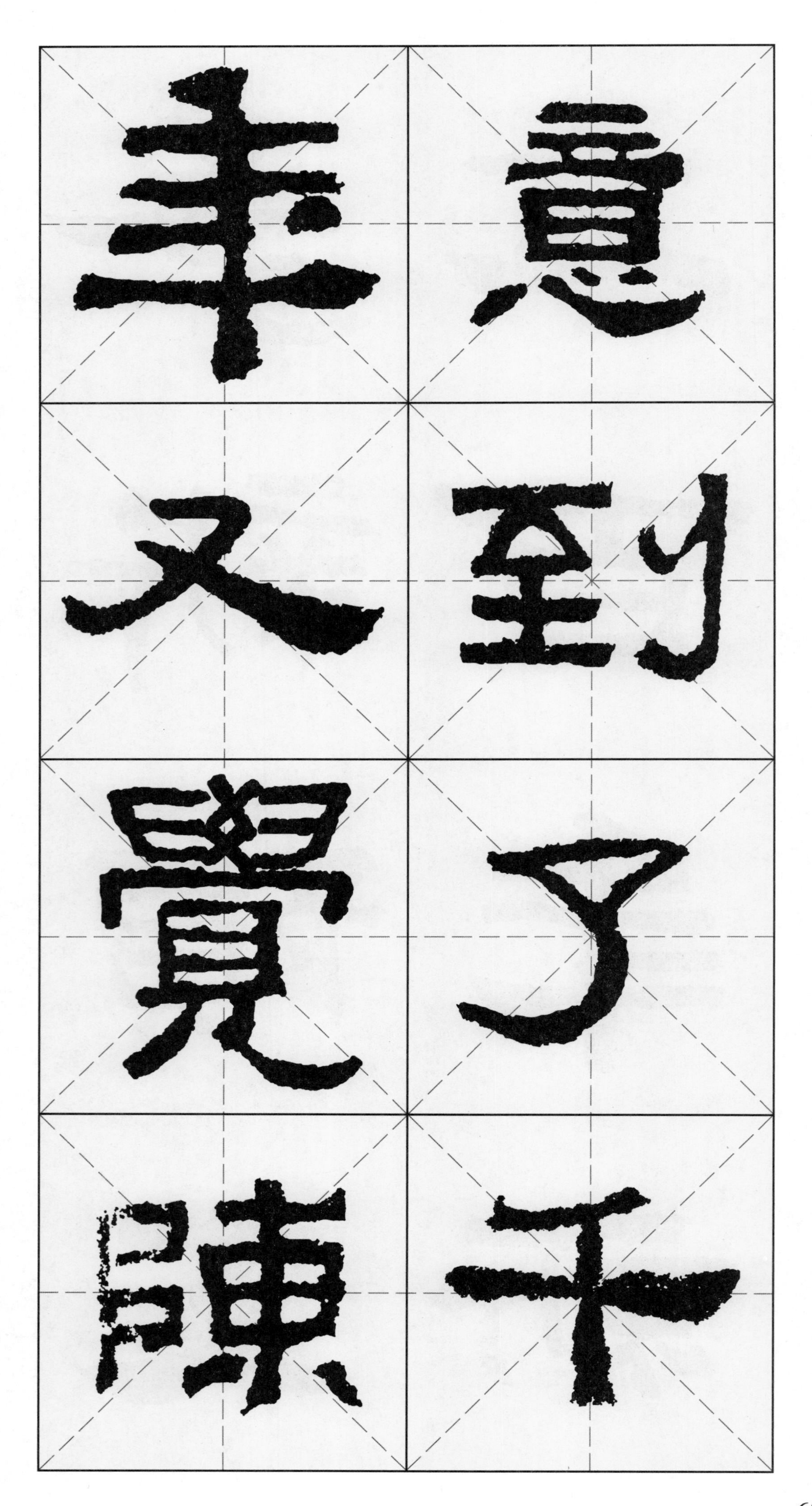
意到了千
手又覺陳

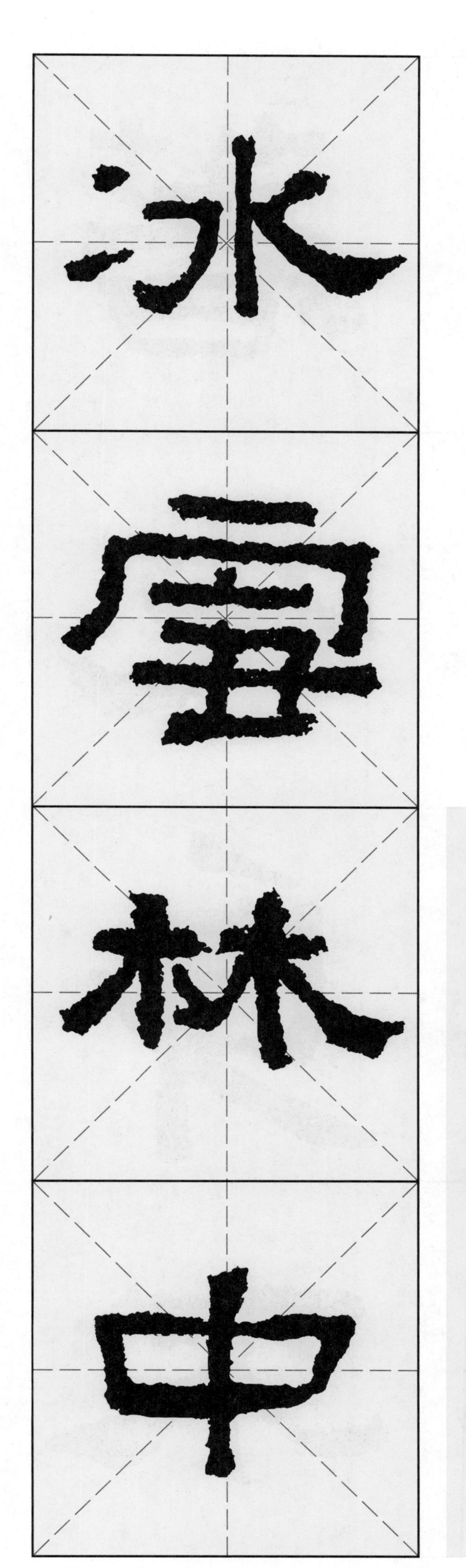

白梅

（元）王冕

冰雪林中著此身，不同桃李混芳尘。
忽然一夜清香发，散作乾坤万里春。

冰雪林中著此身不同桃李混芳塵忽然一夜清香發散作乾坤萬里春

丁酉三月有川集於雲山

著此身不
同桃李混

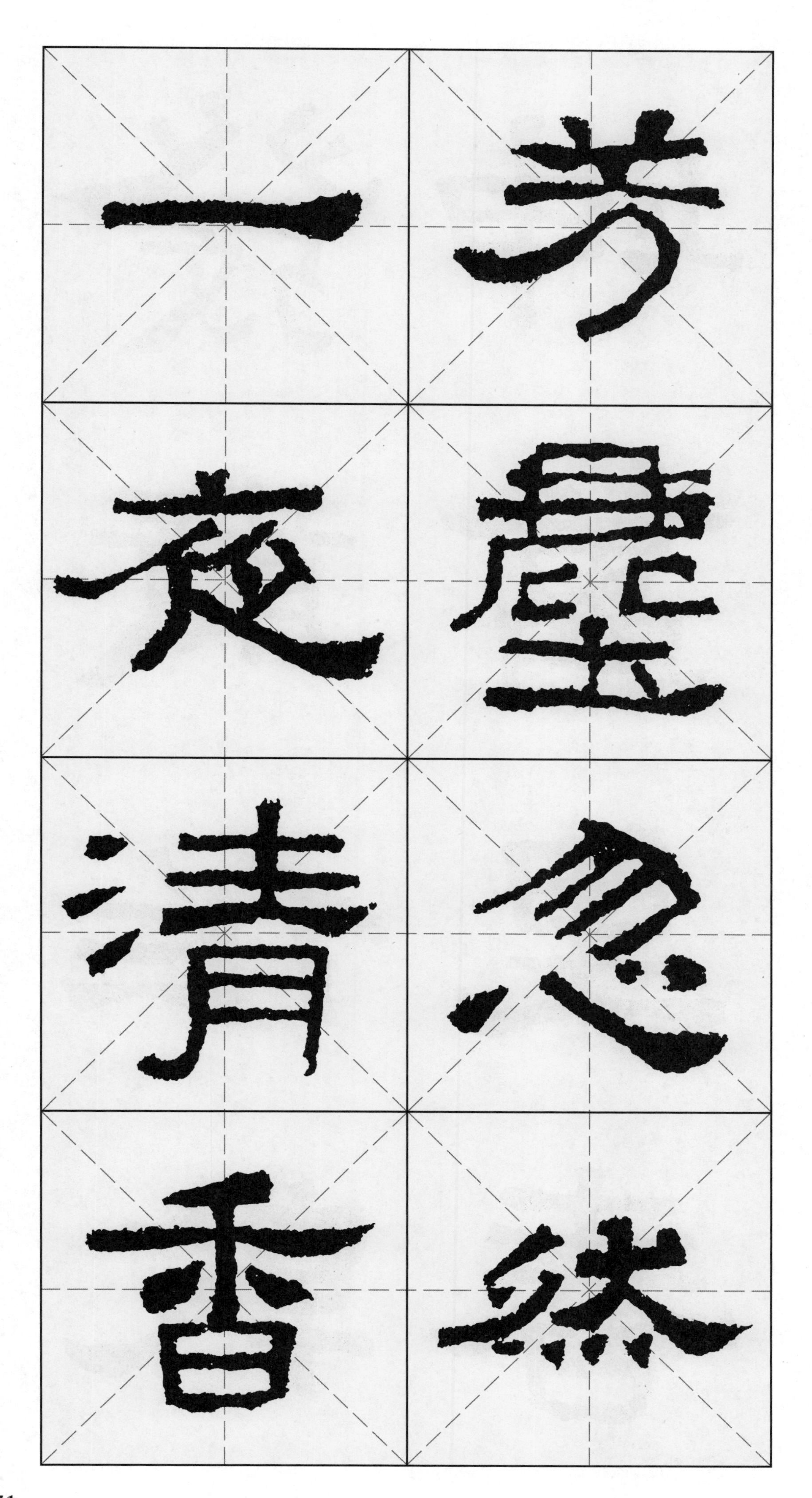
芳臺忽然
一夜清香

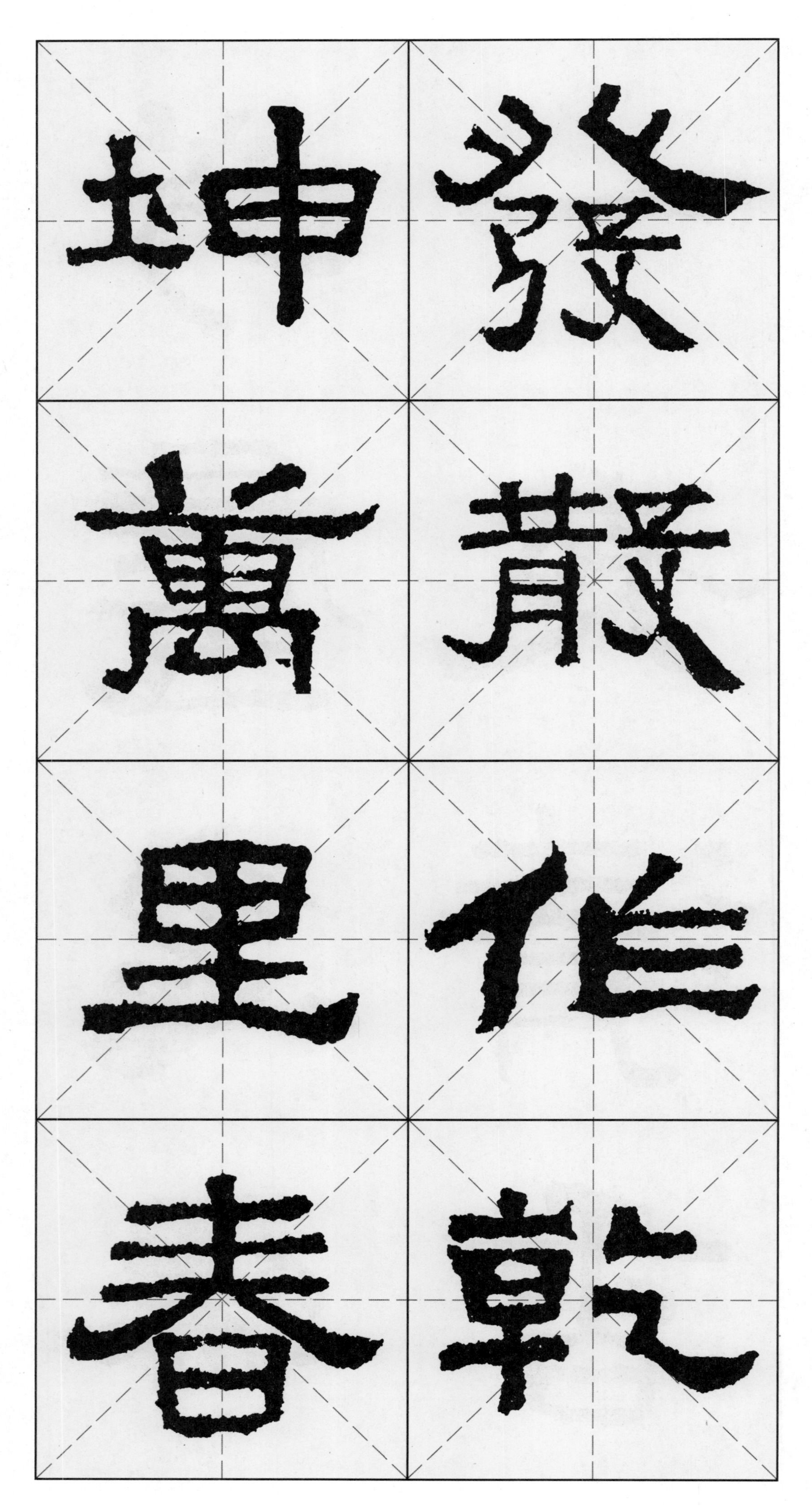
發散作乾
坤萬里春